Celui qui rame dans le sens du courant fait rire les crocodiles.

Proverbe africain

L'Autruche Céleste...

cinq ans plus tard

Iléana Doclin

L'Autruche Céleste...
cinq ans plus tard

Catalogage avant publication de la Bibliothèque nationale du Canada

Doclin, Iléana

L'autruche céleste-- cinq ans plus tard

ISBN 2-89077-262-4

1. Doclin, Iléana - Correspondance. 2. Télévision - Québec (Province) - Personnel - Correspondance. I. Titre.

PN1992.4.D62A4 2004a 384.55'4'092 C2004-940174-2

Page couverture : Iléana Doclin
Photo de l'auteur : Richard Gagnon

ISBN 2-89077-262-4
Dépôt légal : 1er trimestre 2004

Imprimé au Canada

À mes Oisillons, Avril et Nicolas

Les personnages et leurs sobriquets
(Liste non exhaustive)

L'auteur de ces pages :
Autruche Déplumée
Autruche Génétiquement Modifiée
Autruche Intérieure
Baboushka Cucina
Bobonne
Chaponne Catégorie Utilité
Chef De Meute
Comtesse
Comtesse Africaine
Comtesse Air Du Temps
Comtesse *Alive And Kicking*
Comtesse Au Cœur Gelé
Comtesse Aux Pensées Éparpillées
Comtesse Aux Yeux Tristes
Comtesse Baignant Entre Le Zoo Le Néant Les Chippendales Et Le Boom
Comtesse *Beautiful*
Comtesse Cigarette
Comtesse D'Affaires
Comtesse Dolce Vita
Comtesse Dorénavant À But Lucratif
Comtesse En Recherche D'Identité
Comtesse Engrais Et Charme
Comtesse Équestre
Comtesse Extorquée
Comtesse Flammarion Québec
Comtesse Funèbre
Comtesse Latino Slave
Comtesse Madame Claude
Comtesse Mère
Comtesse OGM...
Comtesse Oisive
Comtesse Petite Vie
Comtesse Pintade
Comtesse Plus Heureuse Devant Un Chaudron Que Derrière Un Patron
Comtesse Post-Dépression
Comtesse Pré-Quinquagénaire
Comtesse Qui Aimerait Bien Gagner Par Année Ce Que Coûte Par Mois Un Hell's En Frais D'Aide Juridique
Comtesse Qui Attend Le Vent
Comtesse Qui Aura Cinquante Ans En 2007
Comtesse Rapsodie
Comtesse Satisfaite
Comtesse Solitaire
Comtesse Télé
Comtesse Vieille Bique
Comtesse Vivre et Laisser Vivre
Grand Cru Prêt À Être Débouché
I. Déclin
Iléana Qui A Vraiment Très Hâte D'Être Amoureuse
L'Ado Attardée À Pied Jusqu'à Mardi
L'Autruche Céleste
L'Autruche En Pleine Allégorie Autour Du Mot Ramoner
L'Autruche En Santé
L'Autruche Inquiète
L'Autruche Montagnes Russes
L'Autruche Pensive
L'Autruche Qui Va Profiter Du Temps Des Fêtes Pour Se Mettre Au Régime
L'Ex-Écervelée
La Dinde De Noël
La Fille Très Fière De Sa Mère
La Jeune Célibataire Pimpante
La *Mama*
La Ménagère Dépassée Par Les Événements
La Mère Aux Chiens
La Miniauteur
Petite Comtesse
Poulette Courgette
Ton Amie Iléana
Ton Amie L'Autruche Rescapée
Volaille En Chef
Volaille En Redevenir
Volaille Toujours Étonnée Par Les Messages Venant De La Vie Et De La Mort

La fille :
Miss Anthropologie
Miss Balsamique

Miss Blondinette
Miss Miel
Miss Pétard
Miss Taille De Guêpe
Miss Vinaigre
Miss Vitriol
Miss Web
Poussine

Le fils :
Don Affirmé
Don Apprenti Ébéniste
Don Banc De Scie
Don Bourgeon & Cie
Don Évolutif
Don Extrêmement Studieux
Don Lait Au Chocolat
Don Marqueterie
Don Publisac
Don Tout À Bois
Fils
Fils Ébéniste

Les chiens :
<u>Clara</u>
Clara Le Sapin
Clarinette
<u>Kadhafi-e</u>
Barrique Résiliente
Mortadelle Résiliente
Saucisson Résilient
Tonneau Résilient
<u>Karma</u>
Miniplume Blanche

L'ex-époux :
Clown
Clown Amoureux
Clown Célèbre

La mère :
Petite Claire

Le père :
Comte Roumain

Le frère :
Frérot

La sœur :
Sœur Aînée

Jo :
chere-www-jobrou.com
Chère Amie En Retraite Monacale Avec Ton Chien
Chère Amie Que Je N'Ai Pas Vue Depuis Un Mois
Chère Grande Directrice Artistique
Chère Immense Amie
Chère Jo Bord De Mer
Chère Jo *Cue Sheet*
Chère Jo Déjà Presque Plus En Vacances
Chère Jo Et Ses Bisons Des Prairies
Chère Jo Porto
Chère Jo Pourquoi Vieillir Pourquoi Pourquoi Pourquoi
Chère Jo Qui Angoisse Actuellement Sur Ses Cinquante Ans
Chère Jo Qui Fait Bien De Rappeler À Ses Collègues Qu'On N'Opère Pas À Cœur Ouvert
Chère Jo Qui Habille Son Homme Dans Les Belles Boutiques
Chère Jo Qui Sait Parler En Wolof
Chère Jo Qui Surfe Entre Un Tourbillon Et Une Vague
Chère Jo Qui Vise La Tolérance Avec Ses Voisins Bruyants
Chère Jo Très Occupée
Chère Jo Très Occupée Par Le Marathon Du Temps Des Fêtes
Chère Jo Voici Un Peu De Méli-Mélo...
Chère Jouvencelle
Chère Précieuse Amie
Chica Du Canada
Grosse Jo Qui Va Trop Bien
Olé ! Casse-Gueule Quinqua En Patins À Roues Alignées !
Poulette
Yo

Les locataires :
Chippendales

Les enfants :
Petite Fleur Des Îles et
Petite Papaye (L'enfant de l'amoureux de sa fille)
Bisons Des Prairies

Il était une fois...

Les possibilités sont multiples dans l'esprit du débutant. Dans l'esprit de l'expert, elles sont peu nombreuses.

Shundryu Suzuki, dit le *Crooked Cucumber*

Très rassurant comme maxime en début de rédaction de la suite d'un premier bouquin dont la naissance a été accidentelle, rappelant à la «miniauteur» qu'elle tient à demeurer débutante et, ce faisant, conserver le plaisir d'écrire juste pour le plaisir...

Il aura fallu cinq ans d'ailleurs avant que ce plaisir ne revienne me chatouiller. Et il aura surtout fallu que Jo, ma grande amie et complice du premier livre, me bouscule un peu afin que je m'y remette. *L'Autruche Céleste* a été un cadeau. Il m'a fait mûrir, m'a rapprochée de gens qu'au fond je ne connaissais pas; même le Clown Célèbre, dont j'étais divorcée depuis quinze ans, a découvert en deux cent vingt-quatre pages ce que sept années de vie commune plus deux enfants n'avaient visiblement pas laissé «filtrer». Depuis, il m'aime à nouveau et ce, même s'il en a été le héros récalcitrant, pas toujours montré sous son meilleur jour. La vie étant délicieusement imprévisible, surtout lorsqu'il n'y a pas de règlements de compte, après lecture, au lieu d'une poursuite en diffamation, c'est une nouvelle amitié qui est née entre nous. Juste pour ça, ça valait la peine. Le Clown Célèbre est aujourd'hui un jeune père heureux et je crois de tout mon cœur que sans l'« accident » *Autruche Céleste*, notre relation serait encore moribonde.

C'est baigné d'une naïveté doublée d'inconscience qu'a été publié *L'Autruche Céleste* et la naïveté, c'est aussi un cadeau empoisonné. Un an après sa sortie, bien qu'il ait touché beaucoup de gens qui s'y sont reconnus, j'étais subitement devenue perméable aux réactions de certains collègues. Ces pages, si joyeuses à écrire, je n'arrivais plus à les assumer.

Alors j'ai sauté les plombs. Pas à cause de « ça », Dieu merci. Plutôt parce que je réalisais avoir perdu la faculté de me foutre éperdument de ce qu'on pouvait bien penser de moi. Et « ça » c'était mauvais signe...

Ce voyage non prévu dans le petit monde de la dépression m'a d'autant plus surprise qu'il était complètement opposé à tout ce que j'affirmais avec conviction dans *L'Autruche Céleste*.

Ont suivi dix-huit mois durant lesquels la terre était trop gelée pour que je puisse y cacher ma tête. Cette incursion chez les morts vivants, une fois terminée, aura cependant apporté – encore une fois – plus de bien que de mal. Avec le recul et surtout avec une âme purgée de force, j'ai eu la chance de voir, tout au long de cette traversée, à quel point mes enfants étaient solides, protecteurs et aimants. Nos rôles étaient inversés. À dix-neuf et vingt-deux ans, les Oisillons devenaient mes parents, clôturant ainsi une période ado durant laquelle je les aurais volontiers gazés à quelques reprises.

Ils ont été forts, inquiets, présents, me couvant avec la plus grande tendresse et une patience qui vient sûrement de la planète Mars. Grâce à eux, j'ai retrouvé mes plumes. Grâce à Jo, j'ai renoué avec cette bonne vieille autodérision salvatrice, sans oublier le joli constat de la vraie amitié en 3D.

L'Autruche Céleste, cinq ans plus tard...

par Jo

Étant spectatrice privilégiée de la vie d'Iléana depuis la naissance de L'Autruche Céleste, nous avons pensé que mon regard serait probablement plus objectif que le sien pour faire un pont au-dessus des cinq années qui séparent ces deux livres.

Je tiens d'abord à vous assurer que c'est la même Iléana que vous allez retrouver dans ces pages. Ni pire, ni meilleure. En fait, à certains égards meilleure, mais à d'autres pire (???!!!). C'est toujours la même Autruche, jonglant avec les fuites d'eau, les tuiles et la vie de pigiste. Mais cette fois-ci, c'est une Autruche atteinte d'un mal de vivre très profond, très noir, qui a fait comprendre à tous ses amis le sens profond des mots tristesse et impuissance.

En cinq années, Miss Vinaigre est devenue, comment dire... plus «balsamique» et, Don Évolutif, un homme. Le cordon ombilical n'est évidemment pas complètement coupé. Miss Balsamique vit dorénavant à quelques rues de chez sa mère avec son amoureux et la fille de celui-ci, et Don Affirmé, devenu ébéniste, découvre les hauts et les bas d'une vie amoureuse sous le toit maternel. Aujourd'hui, je les vois moins souvent, mais de croiser les beaux adultes qu'ils sont devenus me donne l'énergie et la motivation nécessaires pour rendre à terme mes deux Bisons Des Prairies.

Maintenant adultes, les Oisillons ont une vie qui leur appartient totalement. Dorénavant, la discrétion est de mise et il est plus que temps que l'Autruche s'occupe de sa propre vie.

Après avoir goûté aux désarrois d'un passage au pays de la dépression, une évidence s'est imposée à la fille de feu le Comte Roumain : la force de ses gènes transylvaniens. Ces gènes tant détestés, reniés et confrontés sont, je crois, en voie d'être acceptés, équilibrés par les doux gènes québécois transmis par Petite Claire.

Au cours des vingt-quatre derniers mois, j'ai vu Iléana se transformer en éponge, trop souvent attristée par le sort de l'humanité. Comme si c'était dans sa propre cour que survenaient chaque tremblement de terre, chaque glissement de terrain et toutes les guerres. Chaque petit orphelin ou itinérant est un membre de sa famille et, si elle le pouvait, même la vache folle serait en train de brouter en compagnie de ses chiens. Il est plus que temps pour Comtesse de revenir à la civilisation et de sortir de son antre protecteur. Elle en sortira sûrement, mais seulement quand « elle » l'aura décidé.

Côté professionnel, Iléana a sérieusement songé à devenir traiteur, « investissant » sur un coup de tête quatre mille dollars (qu'elle n'avait pas) dans une énorme cuisinière à convection (La Pompadour) dont la plaque à grillades déclenche à tout coup le détecteur de fumée. J'ai été sa première cliente, goûtant avec mes Bisons Des

Prairies à une bouffe nettement plus terroir que nouvelle cuisine. En fin de compte, elle est demeurée recherchiste, subissant, comme tous les pigistes, la loi de l'offre et de la demande.

L'Autruche continue toujours à faire confiance au genre humain, non sans continuer à déranger, s'insurger, contester, mais toujours (ou presque) avec générosité... Et le genre humain, gérant de banque inclus, continue à lui faire confiance. Avec raison.

Quant à ses finances, de fragiles elles sont passées à catastrophiques, pour redevenir fragiles mais avec « espoir d'amélioration ». Heureusement, Comtesse est revenue sur terre, déménageant du deuxième pour partager le rez-de-chaussée avec son fils. Après mûre réflexion et un incendie dans le triplex mitoyen, le haut du duplex (incluant La Pompadour) a été loué à trois gars, originaux, bronzés et anglophones, qui ont l'âge d'être ses fils. Le temps dira bien assez vite si son instinct de nouvelle gestionnaire était juste.

Les chiens ! Ils sont toujours aussi présents dans sa vie, mais Clara, son vieux boxer dépendant affectif, dort de son dernier sommeil sous un petit sapin dans le jardin. Kadhafi-e est toujours aussi déconnectée de la réalité, faisant en prime une régression depuis l'arrivée de Karma, nouveau membre de la famille. Ce petit chien blanc, au rythme où il saute sur les gens, a sûrement été croisé avec un kangourou. Les chiens d'Iléana font tellement partie de sa vie que je suis convaincue qu'un jour ils s'installeront au salon pour prendre l'apéro en notre compagnie, nous entretenant de leurs propres états d'âme. Être l'amie de Comtesse c'est, sinon aimer, du moins tolérer (avec enthousiasme) ses précieuses dindes canines. Avis au Prince Charmant.

Le Prince Charmant, de ce côté nulle trace. Quelques petits soubresauts du cœur de temps en temps, des sens qui s'éveillent pour mieux s'endormir à nouveau. Un Crapaud quelque part attend toujours le baiser d'une Autruche. Il n'est pas sous une roche dans la cour, elle les a toutes soulevées.

L'Autruche est de plus en plus sauvage et de plus en plus mon amie.

Et moi, mettant en pratique depuis cinq ans les enseignements d'une volaille (enseignements qu'elle-même oublie parfois de mettre en pratique), je vais extrêmement bien, cultivant le bonheur d'apprécier les petits plaisirs du quotidien, aussi banals soient-ils.

Chère Iléana, rappelle-toi que ces petits plaisirs peuvent nous rendre aériennes. Tu sais mieux que moi qu'une autruche, lorsqu'elle court très vite, se met parfois à voler!

Grosse Jo Qui Va Trop Bien

23 juin

Chère Jo,

Si tu ne veux pas préparer l'iguane avec de l'huile, alors laisse-le avec sa graisse, proverbe africain. En gros, ça veut dire : à défaut d'améliorer une situation, éviter de la détériorer... Plein de choses à apprendre de ce charmant dicton.

Ton *pep talk* d'hier a été très tonique. Tu m'as fait allumer sur ce qu'il y a de plus important dans toute cette histoire de livre et/ou de mes nouvelles angoisses d'auteur-nombriliste-en-crise (je suis devenue détestable comme une diva).

Le plaisir !

Le plaisir tout simple d'écrire sans penser plus loin que ça. À l'époque de *L'Autruche Céleste*, on s'amusait à se raconter autant les « ah ! les bonnes fraises et les bonnes framboises ! » que les « je suis un animal qui attend sa saillie », et à se remonter le moral plus souvent qu'autrement. C'était sincère. Voilà ce qui me manquait depuis qu'une Autruche II est en route : la spontanéité de dire des choses sans me soucier si ça va plaire ou pas.

Le plaisir de l'inconscience qui s'accompagne de zéro attente... Alors au diable les craintes et pensons plutôt aux employés du Centre d'emploi qui ont reconnu, trois ans après publication, une Autruche pas trop Céleste (avec des cheveux jaune fluo, sa fille ayant tenté la veille de la blondir, ce qui dans son cas est un symptôme de tourments) venue s'inscrire, papier médical en main, justifiant cet arrêt de travail pour « cause de dépression ».

Après avoir rencontré mon agent, un monsieur anglophone charmant, j'ai rejoint mes consœurs et confrères de chômage à la salle d'ordinateurs afin de consigner les détails techniques de ma demande. Une fois les renseignements enregistrés, je devais aller voir un autre employé dont le travail est d'imprimer les infos et de vérifier s'il y a des erreurs. La dame en charge de cette étape me regardait avec un grand sourire. La mine triste, je lui rendais poliment ses sourires en attendant mon tour. Lorsqu'il est arrivé, elle s'est levée de sa chaise, a contourné le bureau et, toute contente, a pris ma main dans les siennes en la serrant très fort. Geste plutôt étonnant de la part d'une fonctionnaire.

« Vous êtes l'Autruche ? Je ne me trompe pas ? »

Perplexe, j'ai répondu que oui. La dame, tenant toujours ma main bien serrée, me demande si je pouvais rester quelques minutes de plus, le temps qu'elle aille chercher trois de ses compagnes de travail qui seraient ravies de me rencontrer. C'était surréaliste. J'étais entourée de collègues chômeurs n'ayant aucune idée de qui j'étais, se demandant avec étonnement pourquoi quatre employées du bureau démontraient autant d'attention envers une cliente... L'une des agentes me dit : « C'est dommage, j'aurais aimé être la personne qui complète votre dossier. »

Elles m'ont parlé de *L'Autruche Céleste* pendant une dizaine de minutes, ajoutant qu'à l'heure du lunch, lire des passages à haute voix avait fait partie de leurs petits plaisirs. Très sincèrement, presque en chœur, elles ont demandé :

« Pis la suite, c'est pour quand ? »

Au moment où j'ai quitté le bureau, chacune m'a prise dans ses bras pour me faire un gros câlin maternel. C'était vraiment mignon.

Lorsque le Chômage réclame la suite de ton « œuvre », il faut agir...

Il y a cinq ans, Jo et moi mettions un point final à nos deux années de correspondance. C'était un 11 janvier sibérien, les tuyaux avaient gelé et je m'en foutais parce qu'à l'époque je me foutais de tout, convaincue d'être non seulement immunisée à vie contre la noirceur de mon âme transylvanienne, mais surtout libérée de l'emprise de tout ce qui pouvait être potentiellement blessant. C'était plutôt naïf comme affirmation. Qui sait, la récente visite dans les limbes aura peut-être été une punition pour avoir eu l'insolence de me croire affranchie de tout ?

Quant à ma descendance immédiate, elle a grand besoin elle aussi de renouer avec une mère qui rigole au lieu de pleurer sur la vie. Mes Oisillons ont même proposé de se cotiser pour faire « déprogrammer mon karma » par un chaman. Sur un registre plus léger, auquel toi non plus tu n'es plus habituée, devine ce que j'ai croisé tantôt dans le miroir de la salle de bain ? Deux petites clavicules timides. Voilà au moins dix ans que cela ne s'était produit. Être visitée par la dépression doit avoir ses bons côtés. Alors, pendant que tu travailles très fort cet été et que moi j'ai choisi de m'occuper de ma santé karmique, pour te changer de la folie du monde de la télévision et surtout te remercier d'avoir été aussi fidèle tout au long de mon stage chez les morts vivants, je vais te raconter, en temps réel, les aventures d'une Autruche à la recherche de ses plumes.

En date d'aujourd'hui et en post-dépression, je ne sais pas ce que j'ai appris sur mes bibites, mais j'ai découvert que bien des gens connus fréquentaient la même salle d'attente que moi... (c'est amusant de constater à quel point nous les recherchistes, aussi anonymes que des notices nécrologiques sans photos, observons – par déformation – sans être observés. Et, au nombre d'entrevues préparées depuis vingt ans, c'est fou ce qu'on en connaît du monde !) Donc, amusons-nous à trouver pourquoi l'homme, au sens générique, saute les plombs et pourquoi c'est si difficile à admettre...

Ça fait un mois aujourd'hui que Clara est morte. En trente jours seulement, mon univers a fait une révolution complète. Ajoute à cela les quatre-vingt-dix jours qui ont précédé (l'incendie, les réparations, etc.), ça fait cent vingt jours de chaos à ajouter aux dix-huit derniers mois de stage au pays des zombies. Alors pour se tourner vers l'avenir, il y a un nouveau chiot à l'auberge. Elle s'appelle Karma, c'est une petite femelle schnauzer toute blanche d'à peine deux kilos, dont les yeux sont tellement attendrissants qu'ils font oublier le tumulte planétaire et le tumulte intérieur.

Dehors, il y a cette chaleur insupportable qui parfois me fait acheter des électroménagers trop chers et/ou prendre de bizarres décisions côté professionnel. Maintenant qu'il n'y a plus de piscine pour rafraîchir l'auberge (offerte au plombier il y a un mois), quand je regarde l'espace vide dans le jardin, je repense en riant à l'odyssée pour la récupérer, après un hiver passé à abriter douze chats.

Quel destin cette piscine tout de même. Payer des professionnels pour la faire démonter afin de l'offrir à une famille qui n'a pas eu les sous pour la faire installer. La faire re-remonter dans ma cour (mais pas au même endroit) pour l'offrir l'année suivante au plombier, c'est suffisant pour que les voisins trouvent que leur voisine travaille du chapeau. Sans oublier que pour la faire remonter, Comtesse avait dû débourser neuf cents dollars.

Identité : voisine qui travaille du chapeau possédant des chiens qui se prennent pour des humains.

Identité…

C'est fou à quel point ce mot ratisse large. Au cours des vingt-trois dernières années, je me suis entièrement identifiée à mon rôle de mère, et ce, sans esprit de sacrifice. Maintenant que les Oisillons sont adultes et équilibrés, j'ai à me redéfinir en tant que dame-préquinquagénaire-heureuse.

Après avoir été « arrosée » aux vingt minutes, telle une dinde, par mes Oisillons inquiets, les observant tendrement (et avec plein de culpabilité) organiser des tours de garde afin de s'assurer que je ne me mette pas la tête dans le four, laisse-moi te dire, chère Jo, qu'ils sont heureux de me voir devant le clavier.

Je te laisse, je m'en vais prendre le cinquième bain froid de la journée.

Merci encore pour TOUT.

Comtesse *Alive And Kicking*

24 juin

Chère Jo Peut-Être En Train De Faire Une Pré-entrevue Dans Un Manège À La Ronde,

La pensée du jour: les bons recherchistes sont polyvalents comme des œufs.

Il est treize heures et il fait trente-cinq degrés. J'espère sincèrement que tu n'es pas en tournage à l'extérieur. Avec cette chaleur, au lieu de geler, la tuyauterie de notre maison centenaire va probablement fondre et, à défaut de fondre, l'un d'eux, un cousin, aura été grignoté par «la petite splendeur de huit semaines» qui profitait avec délices d'un moment de liberté non surveillée, pendant que je marinais dans un bain froid, pour s'éclater avec un plaisir délinquant sur le tuyau d'arrosage «tout attendri» par le soleil. Ça coûte cher un bon tuyau.

La rondelette Kadhafi-e, de son côté, représente à elle seule tout ce que le mot «résilience» veut dire. Ce chien, qui a toujours été un peu bizarre du cerveau (ma fille, dans un moment de colère, m'a déjà dit que j'étais son *alter ego*), démontre depuis: l'incendie de la maison voisine, le départ de Poussine, l'arrivée dans la maison d'un bébé humain de dix-huit mois (celui de l'amoureuse de Fils), le déménagement de la tour zen et le retour au 2283, sans oublier le boa et le chat qui habitent dorénavant «son» appartement, la mort de Clara et l'arrivée d'un chiot, une faculté d'adaptation exceptionnelle. Lorsque Karma est arrivée, les trois premières semaines, la

Mortadelle Résiliente croyait que c'était un écureuil. Te dire à quel point, à ce moment-là, j'ai douté de la faisabilité de cette nouvelle association ! Je suis très fière d'elle, l'ayant crue trop dépendante affective pour accepter une petite sœur de huit semaines qui ne pense qu'à lui mordiller le cou. Clarinette, sa copine d'alors, a eu droit au même traitement pendant neuf ans... Elle doit bien rigoler enterrée sous son sapin. Kadhafi-e veille dorénavant tendrement sur un petit écureuil tout blanc qui grandit pas mal plus vite que ceux qu'elle a connus dans le passé.

Lorsque je suis allée chercher les cendres de Clara chez le vétérinaire, elles se trouvaient sur l'étagère, entre deux dossiers. Une urne blanche entourée d'un ruban rose. La seule chose qu'il manquait pour que ça ressemble à un pot de bonbons, c'était les ballons. Je suis repartie en pleurant, mon chien en cendres sous le bras, ne sachant pas où déposer l'urne dans la voiture pour qu'elle ne se renverse pas. Je l'ai attachée avec la ceinture de sécurité et suis rentrée à la maison, secouée de sanglots aussi intenses que ceux d'un nouveau-né affamé.

Voilà un mois qu'elle est morte et c'est douze ans de vie « de couple » qui font partie du passé. Douze ans à partager tendrement les crises des ados (et celles de leur mère), à frétiller de joie à chacune de leurs arrivées en meute ou en solo. Douze ans à être sans cesse disponible pour apaiser les chagrins et célébrer les bonheurs de notre évolutive famille.

Les enfants et moi sommes allés acheter un sapin et l'avons planté dans le jardin avec les cendres, un mot écrit par chacun de nous mélangé à celles-ci. À la pépinière, j'ai demandé à l'horticulteur de service ce qu'il fallait ajouter comme produit pour s'assurer que le petit sapin devienne grand et en santé. Il nous a conseillé de la poussière d'os. Nous lui avons demandé si des cendres d'os feraient l'affaire. Finalement, on a mis les deux.

Quel vide ce départ... J'ai l'impression qu'il me manque un organe. Je suis immensément triste mais en même temps immensément divertie par une succession d'événements, qui – encore une fois – vu leur imprévisibilité, changent le mal de place. Dans l'ordre ou dans le désordre : bébés, boa, biberons et beaux bonhommes.

La tour zen est louée. Une dépression, quand on est pigiste, ça coûte un bras, et afin de me remettre en selle (l'ai-je déjà été ?), suivant tes bons conseils, en étant habité par des individus à but lucratif, l'appartement est finalement rentable. De plus, comme Poussine a quitté l'auberge avec homme et enfant, c'était la bonne décision à prendre. Ce retour à un niveau plus près de la mer devrait être salutaire à tous points de vue pour l'Autruche Déplumée. Tous mes amis semblent plus heureux que moi de ce réaménagement immobilier. Même mon médecin était ravi. Il a dit que j'allais me reconnecter avec la terre. Je suis donc reconnectée avec le jardin et la merde de chien.

Clarinette ne voulait pas redescendre. Elle a choisi, deux jours avant le déménagement, de quitter la maison, préparant son départ depuis l'incendie de février dernier. Depuis qu'elle savait que par instinct de survie j'étais obligée d'aller mieux. Clara avait fait plus que sa part au cours des douze dernières années. Chère vieille chienne, elle ne m'aura jamais laissée tomber.

Nous possédons donc depuis le premier juin deux locataires mâles que je croyais gais, qui ne sont pas gais du tout et qui, après signature du bail, s'avèrent être plutôt trois, plus un boa de deux mètres, un chat et un husky de trente-cinq kilos en garde partagée dont je ne connais pas encore le nom. Mes nouveaux *partner* d'auberge sont anglophones, ont vingt-cinq ans et vivent de plongée sous-marine dans les Caraïbes (... ?), de musique à Montréal et de promotion spécialisée en recyclage (... ?). Ils sont beaux, ont des corps d'athlètes et, dès la première visite du 2285, m'ont considérée comme leur mère. Ce sont mes Chippendales privés.

Ça doit être pour ça que j'ai cru qu'ils étaient gais...

Et c'est ainsi que j'ai constaté que le regard des moins de trente ans ne se posait plus, même furtivement, de façon désirante sur ma personne. Il était donc plus Autruche de penser qu'ils préféraient les garçons.

Chère Jo, toute cette testostérone à l'auberge ! Mes nouveaux hommes sont également menuisiers à temps perdu : vingt-quatre heures après leur arrivée, un anneau de douche était installé – à leurs frais – et la terrasse était solidifiée. Aussi, leur premier chèque de loyer a été honoré haut la main.

Je te laisse, Karma est en train de s'amuser à vider son bol d'eau et Kadhafi-e a l'air de trouver que c'est une bonne idée.

Comtesse Dorénavant À But Lucratif

P.-S. : comme je suis désormais une Comtesse D'Affaires, je ne dois pas perdre de vue que j'ai une clientèle qui travaille à temps plein à servir. Il est dix-huit heures et je suis en train de préparer le (ou la) jimbalaya. Malgré les trente-cinq degrés. Ce qui me motive, c'est que c'est un plat louisianais et qu'en Louisiane il fait encore plus chaud qu'ici. Cette étuve en « cuisine » m'a rappelé l'époque où je servais des crêpes déguisée en Bretonne, et que les crêpières (la plupart fraîches immigrées d'Amérique latine) souffraient en souriant devant les clients sans JAMAIS se plaindre. Tout ça pour te dire que demain ton taboulé et le (ou la) jimbalaya seront prêts pour le *pick-up*.

25 juin

Chère Jo,

Le haricot ne doit pas pousser sur le chemin de la chèvre. Autrement dit : il faut savoir où l'on met les pieds. Un autre proverbe africain.

Je ne sais pas si c'est ça « se reconnecter avec la terre », mais j'ai jamais ramassé autant de merde de chien. J'avais oublié à quel point les chiots, qui mangent si peu en quantité, sont aussi prolifiques côté matière brute. J'arrive du jardin où j'étais très dignement à quatre pattes, implorant Karma de sortir de dessous la chaise longue afin de lui extraire de la gueule un objet non identifié. Après, j'ai ramassé la production du jour des deux bêtes. Charmant. Voilà qui devrait améliorer mon image vue de la tour zen, c'est-à-dire de chez les Chippendales.

Aujourd'hui, j'ai également trié des vis pendant que Kadhafi-e surveillait, au sens propre, la P'tite. Une vraie bergère. Le border colley émerge après neuf ans. Elle partage désormais avec fierté son arbre à écureuils. Tout en surveillant ma famille reconstituée, j'organise et nettoie la nouvelle maison et/ou mon âme. Je jette, au propre et au figuré, tout ce qui m'a transformée en zombie. En faisant le ménage, j'ai trouvé huit louches, une boîte de quatre cents fourchettes en plastique et six bouteilles de vinaigre balsamique. Qu'est-ce que ça veut dire d'après toi ?

Je m'ennuie tellement de Clara. Je m'ennuie de son odeur salée lorsque je lui faisais plein de becs sur les oreilles. Je m'ennuie de sa tête sur mes genoux en écoutant de la musique. Je m'ennuie de ses grands yeux si vulnérables et confiants, de nos longues conversations du regard. Je m'ennuie de son corps tout chaud couché en boule dans mon dos.

Son départ, c'est plus qu'un deuil. C'est tout un pan de vie qui prend fin. Malgré la tristesse immense de sa mort, Clara a fait à la famille un magnifique cadeau : elle nous a montré qu'on pouvait mourir dans la douceur et dans la paix.

Il aura fallu un mois avant que j'arrive à repasser le film de l'événement sans pleurer, à en voir la beauté, l'essence… et c'est surtout grâce aux Oisillons qui ont été d'une tendresse et d'un calme exceptionnels.

Le vendredi où il a fallu prendre la décision d'endormir notre vieille amie, les enfants sont arrivés aux alentours de dix-neuf heures afin de lui faire leurs adieux. Le vétérinaire devait arriver vers vingt et une heures. Moi, j'avais passé l'après-midi avec elle et Kadhafi-e sur le divan du salon, à lui dire à quel point je l'aimais et à quel point nous avions vécu de beaux moments ensemble depuis douze ans. J'avais préparé un *grilled cheese* avec plein de beurre, sa gâterie préférée. Elle en prenait des minibouchées du bout des lèvres, plus pour me rassurer je crois que par gourmandise. Nous écoutions Coldplay en sourdine. Enveloppée dans sa couverture préférée, elle nous regardait avec ses grands yeux pleins d'amour. Calme, pas du tout apeurée par l'imminence de la mort qu'elle devait assurément sentir. Lorsque le vétérinaire est arrivé, ma vieille amie était toujours aussi apaisée. Nous avons allumé des chandelles. Coldplay jouait encore (il était sur le mode *repeat*). Poussine et son homme étaient installés à sa tête, Fils était assis par terre, lui caressant la patte, Kadhafi-e observait les gestes du vétérinaire et moi, je tentais de toutes mes forces de ne pas pleurer. Nous lui parlions tendrement, la rassurant sur ce qui se passait et, en moins de cinq minutes, elle était partie. Elle est morte au son de la chanson «*Look at the stars, look how they shine for you*».

Pour nous consoler, nous y avons vu un signe.

La Mère Aux Chiens

26 juin

Chère Jo Et Ses Bisons Des Prairies,

J'ai cuisiné pour tes hommes en tenant compte des commentaires de ton plus vieux. Au menu cette semaine : blanquette, soupe froide au cari ou gaspacho (tu me diras ce que vous préférez), pâté chinois et crêpes au jambon (il était en spécial cette semaine). Tu vois à quel point je cuisine de saison...

Mes Chippendales ont les mamelons percés. Je suis devenue toute rouge lorsque je les ai vus torse nu dans le jardin. Je te rappelle que j'ai quarante-six ans...

Maintenant, je mets du rouge à lèvres pour passer le râteau dans le jardin (... ?).

L'autre activité ménagère du jour a été de nettoyer, une par une, chaque feuille du bonzaï qui, incidemment, ressemble de moins en moins à un bonzaï et de plus en plus à un vieux bout de bois duquel émergent quelques pousses disproportionnées. Lorsque je l'ai reçu en cadeau il y a deux ans, j'ai braillé, écrasée par cette responsabilité additionnelle. Quand je pense que j'ai choisi d'avoir un chiot ! Le « piranha » a d'ailleurs grugé au cours des six dernières heures : un *running shoe* appartenant à Fils, l'affiche électorale de ce cher Galganov, ainsi qu'une branche de Clara Le Sapin, pendant que j'étais au téléphone avec ma mère qui, aux dernières nouvelles, revient de son exil tropical. Elle débarque à l'auberge dans une semaine avec ses trois chiens, le temps que les formalités hypothécaires relatives à l'achat de sa maison soient complétées. Résultat : six chiens, un boa, un chat, trois jeunes éphèbes aux mamelons percés et ma mère dans le même espace-temps. Donc, nouvel électrochoc.

J'espère qu'il sera aussi efficace que l'incendie d'il y a quatre mois pour me sortir de cette léthargie postdeuil.

À demain !

La Ménagère Dépassée Par Les Événements

27 juin

Chère Amie,

J'espère que ta semaine «show-business» sera agréable. Ici, l'activité ménagère inusitée du jour a pris la forme de couture, le tout baigné de musique *live* en provenance de chez les Chippendales, qui en plus d'être menuisiers sont d'excellents musiciens. Beau petit moment de la vie. Karma a passé l'après-midi chez Poussine, histoire de me donner congé. Sa matinée a débuté par quelques bouts de bois provenant de la plinthe du plancher de la salle de bain. Cette journée en garderie a aussi fait du bien à Kadhafi-e qui, j'en suis chaque jour étonnée, est exceptionnelle de patience et de douceur avec le minienvahisseur. Elle a même partagé son os. Après le concert privé, mes locataires ont mis le toit de leur pick-up dans le jardin et sont partis au Réno-Dépôt. Au retour, ils avaient assez de bois pour construire un troisième étage. Coquin de sort. Avoir trois splendides créatures qui habitent «ma» tour zen à la veille de mon retour d'âge. Ils m'ont gentiment invitée à visiter les lieux qui sont d'ailleurs impeccablement tenus. En voyant le boa, je me suis informée de son alimentation: un rat tous les quinze jours, acheté chez Reptile Dépôt. C'était le moment opportun pour annoncer que nous avions «à l'occasion» la visite de souris. L'un d'eux a répondu sans sourciller que le chat s'en chargerait. Ensuite, nous avons fumé du «Boom» (terme actuellement en vogue chez les moins de trente ans pour parler du pot) dans une pipe à eau. Une première pour la proprio.

À plusse !

Comtesse Baignant Entre Le Zoo Le Néant Les Chippendales Et Le Boom

28 juin

Objet : rencontre du cinquième type.

Chère amie,

J'arrive du jardin où les Chippendales sont occupés par leur banc de scie. Tout ce bois, finalement, c'est pour construire une table à pique-nique et, peut-être du même coup, un «*stage*» en prévision d'une fête qu'ils donnent cette fin de semaine. Tout cela s'annonce mémorable…

En arrivant dehors, je vois à genoux près de Clara Le Sapin un jeune homme d'une beauté à couper le souffle. Il faut dire qu'il avait Kadhafi-e dans les bras (volontairement…) et qu'il lui parlait doucement (ça améliore tout de suite une image en ce qui me concerne, tu le sais). Les gars nous présentent. Le magnifique, mais alors là, vrai-ment ma-gni-fi-que homme dépose le tonneau à poils avec délicatesse, se lève, me tend la main. Une poignée de main forte et chaude. Il mesure un mètre quatre-vingt-dix et s'appelle Mark.

Jo, c'est comme si je venais de recevoir un coup de casserole sur la tête.

Il me demande si je viens d'Europe de l'Est. Est-ce que j'ai l'air à ce point-là d'une baboushka cuisinant borsh et pirrogis ? Voyant mon étonnement, il me dit être yougoslave (l'ancienne Yougoslavie) ; c'est pour ça qu'il a reconnu les origines slaves de mon prénom. On a parlé un bon bout de temps en anglais, le mien étant facilité par les dernières volutes du chanvre fumé une demi-heure plus tôt. Nous parlons entre autres de Clara Le Sapin. Il comprend sincèrement ma peine d'avoir perdu mon vieux chien. Bref, il me trouve adorable, me complimente sur la chaleur des lieux, sans flagornerie, et – surtout – je présume très fortement, sans aucune pensée d'ordre érotique. Mark me demande si je veux partager un pétard avec eux. Si t'avais vu la grosseur et l'esthétique de ce joint ! Je le complimente à mon tour pour sa grande dextérité... il propose de m'enseigner à bien rouler un pétard. Je ne parle malheureusement pas ici au deuxième degré...

Vivre à l'auberge avec trois gars, partager leur énergie rafraîchissante, confirme que même si je ne suis plus une poulette du printemps, je m'entends décidément beaucoup mieux avec les gars de moins de trente ans... Quant à la rencontre du cinquième type, c'était agréable et furtif. Tel un petit vent frais imprévu un soir de canicule.

Côté bouffe, demain vendredi, il y aura de prêt pour toi chère cliente : des piments farcis, une salade russe (ça se mange froid et le guide alimentaire canadien au complet se retrouve dedans), une salade de concombres à la crème sure, du poulet thaï et, si j'ai le temps, trois quiches : champignons, épinards, bacon.

Comment se porte Autruche Intérieure ?

Fais attention à toi chère amie. Bonne fin de journée !

Baboushka Cucina

P.-S. : S'il y a quelque chose que tes Bisons Des Prairies n'aiment pas dans ce menu, c'est pas grave, Fils, lui, adore tout ça, et comme il n'est plus habitué à ce que sa mère chante en cuisinant, il découvre le plaisir de renouer avec une maison qui sent bon la bouffe.

29 juin

Hola! Chica Du Canada,

La crémaillère du 2285 a duré vingt-quatre heures... Je crois n'avoir jamais vu, en si peu de mètres carrés, autant de beauté insolente de jeunesse. Mon moral, galvanisé la veille par les attentions toutes filiales du beau Mark, a chuté de façon vertigineuse en voyant le paquet de jeunes naïades rivalisant les unes avec les autres à coups de string sortant négligemment de leurs shorts, portés six tailles trop grandes, et de leurs camisoles, portées six tailles trop petites.

J'étais invitée à me joindre à eux. Je n'y suis pas allée, trop assommée par mon tour de taille qui n'était justement pas de taille à rivaliser avec celui de toutes les jeunes poulettes présentes. Gros-gros coup de vieux.

La main ne peut cacher le soleil. Encore un proverbe africain. Je te laisse le soin de l'interpréter...

I. Déclin

P.-S. : En juillet, je tombe dans le bouddhisme...

30 juin

Chère Jo Qui Vise La Tolérance Avec Ses Voisins Bruyants,

J'ai moi-même fait preuve d'ouverture cette fin de semaine en devenant gardienne d'enfant, et ce, même si j'avais juré de ne jamais le faire. J'ai été la *nanny* de Petite Fleur toute la journée pour dépanner Poussine entre une blanquette, un pâté chinois et un gaspacho pour ma cliente, tout ça pendant qu'elle prenait des couleurs à Magog en solo, son homme étant de service au restaurant. Je dois dire qu'ils n'ont jamais abusé de Mémé pour garder la petite qui, soit dit en passant, est absolument adorable. Sauf qu'une petite fille de cinq ans, ça mobilise ! Comtesse Post-Dépression, habituée au silence, a donc entendu babiller toute la journée en faisant de la bouffe, du bricolage, de la coiffure, du terrassement (l'enfant, après avoir transformé le toit du pick-up des Chippendales en maison pour les chiens, s'est aussi amusée à faire des trous dans le carré de sable géant laissé par l'absence de la ronde piscine hors-terre) et de l'éducation canine, Karma se prenant depuis hier pour une marmotte.

Tu vois, Jo, l'osmose semble plus forte que l'éducation. En vingt-sept jours, Kadhafi-e, par son « encadrement » stablement instable et affectueux, aura communiqué avec succès à la relève une partie de son adorable fantaisie.

Fils a passé la nuit avec blonde-et-enfant. Dans sa chambre de post-ado, entre des jeux vidéo, des verres de jus vides et des outils, on découvre, bien rangés, des couches et des biberons. Je trouve attendrissant qu'à tout juste vingt ans, l'homme de la maison paterne avec autant de tendresse et de patience un ti-cul de deux ans qui n'est pas le sien. La seule fois où je l'ai surpris à lever le ton, c'était pour entendre :

«*Hey man!* touche pas à mes outils!!!»

Outils, comme tu le sais, sacrés depuis que l'ébénisterie est entrée dans sa vie.

Je suis allée promener Karma en laisse pour la toute première fois ce matin. J'ai croisé un jeune couple qui promenait un gros chien de race indéterminée ne possédant que trois pattes. C'était tellement beau de les voir. En moins de deux coins de rue, je me suis fait arrêter six fois par des passants pâmés devant la petite «plume blanche». Très efficace un minichien pour engager la conversation. Je ne suis pas convaincue qu'une balade avec le Tonneau Résilient donne le même résultat.

Bonne soirée.

Mieux vaut boire de l'eau tiède qu'avoir soif, autrement dit : il vaut mieux avoir peur que rien du tout. C'était le dernier proverbe africain du mois. Je le trouve très éloquent, surtout en cette ère de grands changements.

Comtesse Africaine

1er juillet

La sagesse fondamentale existe en chacun de nous mais ne peut se manifester, étant cachée par toutes sortes de passions.

Le bouddhisme en bref

Chère amie,

Pas mal de route (et de ménage) à faire pour trouver notre sagesse fondamentale, n'est-ce pas ? La sagesse africaine est plus rafraîchissante ces jours-ci... En ce qui me concerne, je suis convaincue que c'est plus la naïveté que la passion qui me pousse à faire des choix, choix qui, comme tu le sais, ne sont pas toujours « sages » selon la société bien pensante. Mais j'ai aussi appris que dans les situations désespérées, la seule sagesse est celle de l'inconscience... Finalement, je dois avoir beaucoup de sagesse, même si ça ne paraît pas toujours.

Naïveté : « Ingénuité, simplicité d'une personne qui manifeste naturellement ses idées, ses sentiments. Excès de crédulité, bêtise... » (*Petit Larousse*, 1994.) Peut-être qu'en 2003, ce n'est plus la même définition ? La naïveté a toujours été le chien de garde de mon intégrité ; avec le recul, elle ne semble pas m'avoir toujours bien servie. J'ai lu dans le journal qu'une étude sérieuse affirmait qu'être intègre, ça renforçait le système immunitaire, mais qu'en même temps, ça causait d'autres problèmes du genre : écrire des lettres pour s'insurger, envoyer promener un supérieur qui n'en a que le titre, démissionner, se faire virer, etc. Heureusement, nos karmas personnels veillent, sachant que les tourments sont là pour nous éduquer, qu'il faut s'en rendre compte rapidement, parce que de toute façon on va être obligés de le réaliser au moment de notre mort. Cette mort sera d'autant plus difficile à accueillir qu'il sera trop tard. Et hop ! une autre réincarnation ! (Rassure-toi, je ne suis pas entrée dans une secte.)

Le karma est là, sous ses multiples formes (bonnes autant que mauvaises), et il détermine comment toutes les petites âmes terrestres se comportent. Le plus souvent, on le trouve mauvais parce qu'il sait très bien que c'est lorsqu'on est dans la merde qu'on pense à lui et qu'on lui attribue toutes ces mauvaises énergies qui ne demandent qu'à changer. Olé !

C'est pour ça que je suis allée chercher un petit Karma tout blanc, tout pur, plein de poils et plein de potentiel.

Aimes-tu mieux ça maintenant « Karma » comme nom pour la petite plume aux dents d'acier ?

Je ne sais pas si tu te souviens, mais il y a cinq ans, par une splendide journée de septembre, tu étais venue de ton Canada jusqu'au centre-ville, pour un déjeuner sur une terrasse à deux pas de mon bureau. Je marchais d'un pas alerte et heureux, galvanisée par le bleu du ciel, sachant pourtant qu'au retour au bureau, j'allais me faire virer pour insubordination. Les locaux étaient situés dans un édifice d'une douzaine d'étages dont la clientèle était toujours pressée et les ascenseurs toujours bloqués. En arrivant dans l'entrée, pas un chat et un ascenseur qui attend, porte grande ouverte, sa seule passagère, laquelle n'est pas vraiment pressée d'arriver à destination. Au moment d'appuyer sur le bouton, je vois un jeune courrier à vélo, pressé d'arriver avant que la porte ne se referme. Je lui fais signe de prendre son temps, lui dis que mon doigt est appuyé sur «*open*» et que je ne suis vraiment pas à la course. Lorsqu'il entre dans l'ascenseur, je lui demande «quel étage?». Il me fait un sourire tellement adorable. Si tu avais vu comme il était beau! Il avait des grands yeux bleus et ses cheveux, longs jusqu'au bas du cou, dépassaient du casque. Je suis descendue avant lui, et une fois à l'extérieur, avant que les portes ne se ferment, il a dit:

«Votre karma va vous dire merci!»

Ce à quoi j'ai répondu:

«Eh bien, si tout se passe comme prévu, d'ici cinq minutes je devrais avoir un bonne idée du type de remerciement...»

Cette rencontre express, en apparence anodine, ne l'a pas vraiment été. Elle m'avait enveloppée d'un bien-être presque magique. Souvent, au cours de la dernière année, lors de moments particulièrement sombres, j'ai pensé à ce messager à vélo qui, sans le savoir, a tatoué cette phrase dans ma tête.

Une fois au bureau, je passe au casier voir s'il y a du courrier. Un livre s'y trouve. Le titre: *Soyez pauvres, vivez heureux*. Dix minutes plus tard, j'étais congédiée.

Me faire dire que mon karma allait me remercier et apprendre à devenir pauvre mais heureuse en moins de deux minutes, il y avait vraiment de quoi rire. Et j'ai ri... Mais pas trop longtemps, l'épisode de froide hargne qui suivait, en plus de faire disparaître ma confiance magique, avait également fait disparaître, en moins de deux elle aussi, toute notion de justice.

Une autre leçon qui, cinq années plus tard, me permet de continuer à être naïvement intègre.

À part ça, Chère Jo, hier soir j'ai passé une partie de la soirée dans le jardin avec mes Chippendales. Nous étions éclairés par plein de chandelles dépareillées qui chatoyaient sur le mur sous l'effet du vent. C'était charmant. Puis, après avoir été gâtés par le splendide Mark qui offrait une tournée de boom, mes beaux amis se sont mis à jouer de la guitare en lisant des passages de la Bible, profitant de leur état altéré pour en faire une nouvelle lecture. Ils sont décidément plus du style «Tribeca» que «Mascouche» (je dis Mascouche parce que j'y étais ce matin pour la vente de ma voiture).

Bonne soirée,

L'Ado Attardée À Pied Jusqu'à Mardi

2 juillet

Chère Jo,

Le chameau mourra sans jamais se coucher sur le dos. Autrement dit, on ne peut nier l'évidence : professionnellement, le culte de la jeunesse semble plus important que l'expérience de l'âge. Le plus difficile, je trouve, c'est de l'apprendre sans qu'un seul mot ne soit prononcé. Décidément, j'aime bien les proverbes africains.

J'imagine que ton moral a perdu un ou deux grammes de gras... De mon côté, je crois qu'un petit duvet est en train de repousser. Il annonce quelques nouvelles plumes colorées et fringantes.

Karma se prend pour une chèvre de montagne sous l'œil attendri de Kadhafi-e qui prend très au sérieux son rôle d'éducatrice ; Fils se prend pour un enfant exploité (je lui ai demandé de sortir les poubelles) et Comtesse pour une contremaîtresse, ayant décidé de gérer, d'ici le gel, (comme dans *Les Filles de Caleb*) un chantier consacré aux briques qui montrent des signes de grande détresse. Ce qui par contre m'a rassurée, c'est ce qu'a dit l'évaluateur, qui a ajouté, après son bilan et surtout en voyant mon air atterré, que bien que la maison soit un peu croche, pas une seule « petite jeune construction de 2003 » ne sera aussi solide que notre habitation centenaire dans un siècle. Tu vois, les maisons, c'est comme les « vieilles » recherchistes. C'est avec le temps qu'on en apprécie la vraie valeur. Vive les vieux !

J'espère que dans cent ans, la maison des deux chiens à la fenêtre sera encore habitée par ma descendance et leurs animaux. Avec les années, Clara Le Sapin sera sans doute devenue un engrais accueillant pour un autre petit sapin, ou un pommier, ou un nouveau complexe immobilier ultramoderne.

Au fait, ça vit combien de temps un sapin ?

Je te laisse, je m'en vais chercher la nouvelle voiture, et ce, après m'être bien engueulée avec la préposée au service à la clientèle du bureau des assurances, qui n'avait que le mot « statistiques » à la bouche pour justifier l'augmentation sauvage de ma nouvelle prime. J'ai terminé en lui disant que, toujours selon les statistiques, après trente ans de conduite automobile exemplaire sans accident ni réclamation, ils devraient plutôt me décerner un diplôme et m'offrir gracieusement la prime de l'année 2003-2004 afin de me conserver comme vache à lait.

Ça n'a rien donné mais ça m'a fait du bien.

Bonne fin de journée. N'oublie pas que la seule justice conférée par l'âge, c'est le détachement, et qu'au bout du compte, on finit tous un jour par se retrouver avec un bouchon dans un orifice.

Comtesse Extorquée

4 juillet

Yo,

Quand on est trop collé sur un cadre, on peut pas voir s'il est croche. C'est pas un proverbe africain, mais une évidence qui s'est imposée, pendant que je posais un cadre cet après-midi, dans notre très pas d'équerre maison. Je me suis dit : « Décidément, je suis vraiment trop collée sur ma petite personne depuis ce séjour chez les zombies. » Il faut que je recule du « cadre zombie » des dix-huit derniers mois si je veux reprendre contact avec mon inconscience salvatrice, celle que j'avais eu le bonheur de découvrir au moment de nos échanges « faxtuels » d'il y a cinq ans. En les relisant dernièrement, je n'arrivais pas à croire, entre autres, que j'avais déjà fait de la chute libre. Quand je me revois dans l'avion, au bord de la porte grande ouverte, c'est comme si je regardais un film de science-fiction.

Mon regard sur le passé et le présent n'est pas encore complètement synchro (comme Kadhafi-e). C'est fou ce que je m'identifie à ce chien.

Je recommence à travailler la semaine prochaine et j'ai très hâte de faire autre chose que ruminer sur cette peur constante de re-péter les plombs au moindre épisode de tristesse diffuse qui dure plus qu'une journée. Après avoir fréquenté des abysses aussi désagréables, je vais faire tout ce qui est possible pour ne plus jamais y retourner. Et la première chose, c'est de me foutre de ce que l'on peut penser de moi.

C'est ça qui a été le plus difficile à la sortie du premier livre je crois... travailler dans un milieu souvent jugeant.

Aujourd'hui, j'ai encouragé l'industrie du bœuf canadien, en crise elle aussi. Don Apprenti Ébéniste et moi, nous nous sommes payé la traite. Débourser un tel montant pour deux faux-filets, c'est presque indécent. Mais quel bonheur gustatif. Bonheur d'autant plus grand qu'il mettait un terme à trois jours de mauvaises vibrations entre mère et fils. Oh que c'était tendu à l'auberge! Autant l'homme de la maison que moi ne sommes habitués à autant d'humeur aigre en nos murs. Je crois comprendre que ses amours sont houleuses ces temps-ci.

Ma mère est rentrée « d'exil » il y a trois jours. Ce retour en compagnie de ses cent kilos de chien est une véritable cure de jouvence, autant pour elle que pour ses trois compagnons canins. Petite Claire n'était décidément pas faite pour le climat tropical. Sa maison à la campagne va être prête dans deux semaines et, en attendant, elle habite dans une roulotte prêtée par une dame qui vient d'être placée dans un centre d'accueil. Un tipi l'aurait comblée de joie tellement elle avait hâte de revenir.

Ce soir, crois-le ou non, Comtesse Solitaire va se rendre à une soirée anniversaire chez Frérot qui reçoit à l'occasion des cinquante ans d'un copain. Il m'a dit : « Y a plein de gens du milieu qui seront présents, tu devrais venir. » Il est peut-être temps que je me ressorte le nez. Zé-vais-faire-oune-pétite-effort...

Comtesse Oisive

P.-S. : le «bouchon dans un orifice», excuse-moi si c'est un peu graphique, mais j'ai lu la semaine dernière un livre sur la mort, l'accompagnement, les soins palliatifs et, plus précisément, ce que l'on fait avec les humains une fois qu'ils font partie de la catégorie «défunts». Ça m'a bouleversée et convaincue une fois de plus que jamais je ne voudrais être embaumée, ni exposée. Tu dois te demander pourquoi je lis de tels livres ? Je ne sais pas au juste, mais la compréhension de la mort me hante depuis que je l'ai côtoyée au quotidien, il y a trois ans, lors du départ de Dodo.

11 juillet

Chère Jo Qui Sait Parler En Wolof,

Quelle que soit la maigreur d'un éléphant, ses parties génitales peuvent remplir une marmite. Autrement dit, même dans des conditions difficiles, du bon émerge. Pas besoin de te dire que c'est un dicton africain. Ici, il n'y a pas d'éléphants.

Nangadef à toi aussi. Aujourd'hui, ça fait six mois exactement qu'a eu lieu l'incendie qui m'a réparée de façon plus efficace que n'importe quel électrochoc et/ou antidépresseur. C'est aussi aujourd'hui que notre Clara aurait fêté ses treize ans. Voilà six mois également que je vis dans une maison postsinistre, pleine de poussière de plâtre, gracieuseté du voisin incendié (tantôt, il y a même un morceau au complet qui est tombé devant ma fenêtre, me sortant violemment de mes rêveries un peu trop sombres).

En fait, je devrais peut-être remercier le propriétaire du triplex mitoyen pour ce feu qui s'est avéré, comme dans bien des cas en définitive, une épreuve des plus positives. Y a rien qui arrive pour rien et je suis très heureuse d'être en mesure de le reconnaître de nouveau et surtout de renouer avec la faculté de faire confiance à la vie, même lorsqu'elle bouscule. Le jour de l'incendie, c'était tellement touchant de te voir arriver par moins trente, ta chapka sur la tête, près de notre voiture transformée en camp de réfugiés, la famille et les dindes canines unies dans l'adversité, en attendant d'apprendre par le pompier en chef, si nous allions aussi y passer. Peux-tu bien me dire pourquoi, au lieu d'un incendie d'origine banale du genre cigarette ou casserole oubliée sur un rond, « mon » incendie était dû à une cause illicite, donc pas « régie » de la même façon par les compagnies d'assurances ? Je dois ajouter que contrairement à l'assurance auto, l'assurance habitation a géré mon dossier avec beaucoup d'efficacité.

Bingo.

Encore un épisode de notre vie, authentique *sitcom* dont la mission, j'en suis encore persuadée, est de divertir l'au-delà.

Une plantation hydroponique de *weed*, pas une plantation d'orchidées. Dire que j'ignorais complètement être voisine d'un fournisseur. Étant donné que l'incendie a été causé par une surcharge électrique due à un « élevage spécialisé » de grande taille très gourmand en watts, la compagnie d'assurances du voisin ne couvre pas le sinistre. Du moins, c'est ce que le propriétaire du triplex m'a dit. Ses assurances ont justifié le « non-paiement » en expliquant que, bien que le proprio n'habitât pas les lieux, il aurait fallu qu'il soit plus vigilant avec ses locataires. Ce dernier, un Sud-Américain, ne connaissait sans doute pas toutes les clauses écrites de son contrat. Tout comme Comtesse et un million d'autres gens d'ailleurs.

Alors...

Alors c'est lui qui se tape les travaux de reconstruction, à ses frais, le soir et la fin de semaine, en compagnie de sa famille au complet. Le lendemain de l'incendie, quand j'ai vu la grand-mère septuagénaire sur le toit du triplex – par moins vingt-cinq –, tenir une bâche en plastique qui partait au vent, pendant que son fils tentait de la clouer afin de boucher le trou laissé par les pompiers, j'ai eu le cœur serré. Sauf que six mois de travaux faits «maison», la vue d'une mini remorque servant normalement à transporter des vélos, transformée en conteneur à rebut industriel, ça use la patience de la ménagère, même la moins frotteuse. Tous les jours, lorsque je le croise, la mine un peu découragée devant le temps infini que prennent les travaux, il me dit avec un grand sourire :

«Zé vais poser dou pavé ouni et zé vais faire des beaux balcons en pvc.»

Que veux-tu répondre à ça ?

Chez nous, en plus des dégâts directement reliés à l'incendie, même si au bout du compte la maison s'en est super bien tirée, nous avons eu des dégâts à l'avant, gracieuseté de trois employés de la Ville de Montréal qui ont eu une petite distraction en commun. Le lendemain du feu, comme la tuyauterie et la canalisation du triplex incendié avaient éclaté, la Ville a envoyé des employés pour creuser et réparer le tout. Sauf que c'est pas sur le terrain de la maison incendiée qu'ils ont creusé, c'est chez nous. Le plus incroyable, c'est qu'il y a une clôture en bois qui sépare les deux terrains... Il me semble pourtant qu'une maison incendiée en février par moins trente, et dont l'adresse est inscrite sur la feuille d'appel, c'est pas trop compliqué à trouver ! D'autant plus que pas loin de chaque adresse civique il y a un petit numéro d'inscrit, dont le chiffre représente le nombre de pieds – en ligne droite – qu'il y a entre la canalisation de la Ville et la maison. Le chiffre inscrit pour mon duplex, c'est « 14 », et celui du triplex, « 19 »... (comme la maison a près de cent ans, les mesures ne sont pas en métrique). J'ai appelé la Ville pour me plaindre. J'ai jamais eu de nouvelles.

La maladie qui empoisonnait mon âme jusqu'en février dernier aura au moins servi à sauver la vie de mes chiens. En temps normal, à l'heure où a eu lieu l'incendie, j'aurais été au bureau et mes précieuses dindes seraient mortes asphyxiées. Merci la vie.

J'ai appris ce matin que ma cote de crédit avait baissé ; égaré le Windex au moins à dix reprises en faisant le ménage et repeint la toilette.

Au fait, combien de temps as-tu vécu en Afrique ?

En terminant, chère Jo, ne pas oublier que bien qu'on fasse un paquet de travail sur nos petites âmes, la journée où on va mourir, faut juste espérer que cela soit un jour où l'humeur est bonne.

Chaponne Catégorie Utilité

12 juillet

Chère Jo,

T'ai-je déjà dit que je détestais l'été? Comme il n'y a plus d'appareils électroménagers à acheter pour l'auberge, je me demande bien comment canaliser mon ras-le-bol estival.

Notre collègue Luc Rousseau m'a invitée à l'accompagner au soixante-quinzième anniversaire du salon funéraire familial à Trois-Rivières. Tous les porteurs (encore vivants) seront présents et, comme Luc a lui-même été porteur, les retrouvailles devraient être intéressantes à observer, un verre de vin dans une main et un petit four dans l'autre. Avec mon actuelle obsession de la mort, ça ne pouvait pas mieux tomber: je suis toujours aussi paniquée par des lieux qui sont partie intégrante de l'univers des défunts... et ce, même si j'ai eu la chance d'accompagner pendant près de deux ans Dodo qui préparait son départ vers le nuage duquel elle veille désormais sur nous.

Vivre au jour le jour le départ d'une jeune maman, de tout son cœur vouloir être utile à quelque chose... Moi, c'était la bouffe et le récit de mes mésaventures à large spectre... Karmiquement, elles étaient toujours aussi nombreuses et ridicules, allant de la douche intégrale dans un lave-auto juste avant de me rendre à un rendez-vous, parce que le toit était mal fermé (donc cheveux fraîchement raidis complètement frisottés et obligation de retourner me changer à la maison à toute vitesse), en passant par une erreur d'hôtel lors de ma première invitation – à vie – à participer au bal d'une princesse polonaise. Ce soir-là, je me souviens d'être arrivée avec ma vieille Volvo et ma «non-classe» habituelle, remettant cependant avec décorum mon porte-clefs (digne d'une concierge) au voiturier, le priant d'en prendre bien soin. En entrant dans l'hôtel, portée par la grâce de ma robe de bal, mes bijoux (prêtés) et ma montre Ronald McDonald's, j'ai réalisé cinq minutes plus tard m'être trompée d'endroit, le bal ne se déroulant pas au Reine-Elizabeth mais plutôt au Ritz-Carlton. Ça valait mille dollars de me voir courir en tenue de gala *vintage*, à travers les étages du stationnement souterrain, cherchant frénétiquement le voiturier. Finalement, le bal était tellement ennuyeux que la soirée s'était terminée sur une terrasse de la rue Saint-Denis, Comtesse toujours en robe noire de tulle, le chignon fait maison par contre un peu bas.

Tu vois, pour cette petite famille éprouvée, j'étais à la fois une amie, une cuisinière et un objet de divertissement.

Le jour où Dominique est morte, c'est avec une peur sourde que je m'étais rendue chez elle. Pour la première fois, je me trouvais dans la chambre d'une morte. Mais la peur avait naturellement cédé la place à une forme de mysticisme qui m'était inconnue. Je regardais son corps délicat d'une blancheur irréelle. De son visage avait disparu toute trace de souffrance. Une jeune infirmière guatémaltèque avait fait sa toilette et lui avait également entouré le visage d'un ruban qui lui donnait l'allure d'une princesse endormie après un gros mal de dent. Ensuite, à contrecœur, l'infirmière lui avait mis aux pieds des petites chaussettes décorées de Mickey Mouse. Elle trouvait que ce n'était pas de circonstance. Moi, au contraire, j'y voyais un dernier clin d'œil à la vie telle que Dodo l'avait vécue : parfois délinquante, pleine de couleurs et d'originalité. J'étais assise au pied de son lit, observant ce corps quitté par la vie depuis moins de deux heures. Pourtant, je la sentais encore toute là, à observer les allées et venues de ceux qui venaient lui dire un dernier au revoir ; je me disais que ce corps, c'était Dodo, et qu'en même temps ce ne l'était plus. L'image qui me reste de cette dernière rencontre – en 3D pour moi, et si j'ose dire, en 0D pour elle – demeure quelque chose de magique. Magique au sens où l'espace d'un moment, dans le même espace-temps, le plus inexplicable était réuni : l'abandon récent de ce qui fait de nous un humain et, j'imagine pour Dodo, la découverte de sa nouvelle « forme ».

Et... comme rien de normal ne m'arrive même avec la mort, quinze jours après ses funérailles, quelques amis s'étaient réunis au cimetière afin de trinquer à sa santé en mangeant plein d'olives et de petits sandwiches « pas de croûte » qu'elle aimait tant grignoter. C'était un vendredi 13. Le rendez-vous avait été fixé à seize heures, aux portes du magnifique cimetière-jardin du Mont-Royal. Le temps était très couvert et la pluie nous narguait.

Vers seize heures trente, derrière la sépulture de Dominique, à peu près à quinze mètres de distance en ligne droite, notre attention a été attirée par une fumée qui s'élevait tout doucement. Intrigué, étant donné que nous étions seuls dans cette partie du cimetière, le mini-groupe s'est dirigé vers la fumée et, à mi-chemin, la fumée jusque-là timide s'est transformée en une grosse flamme. Sursaut général. Une fois arrivés à l'endroit ou le feu crépitait avec de plus en plus d'énergie, nous avons réalisé que c'était une tombe qui brûlait. Il était évident que le brasier n'était pas dû au mariage rayons de soleil – morceau de vitre – fleurs séchées. Le ciel était trop gris et la tombe incendiée, visiblement pas visitée depuis des lustres, était couverte d'une poussière transformée en crasse au fil des années. C'était un véritable mystère. Le nom écrit sur la stèle était «d'Albunquerke» (je ne me souviens plus exactement de l'orthographe). Soudain rendus émotifs devant cette tombe qui crépitait, nous sommes retournés sur celle de Dodo. Au même moment, un employé du cimetière passait dans son camion. Lorsqu'il a vu le feu, il a été aussi étonné que nous. Jamais, depuis ses débuts dans un cimetière, il n'avait vu un phénomène de la sorte se produire.

On ne saura jamais ce qui s'est produit ce jour-là au cimetière, mais chacun de nous était heureux de ne pas avoir été seul à assister à l'événement, parce que personne ne l'aurait cru. Je tiens à préciser que trois journalistes comptaient parmi les amis présents.

Je te laisse, je m'en vais prendre un bain glacé et un verre de rosé.

Volaille Toujours Étonnée Par Les Messages Venant De La Vie Et De La Mort...

13 juillet

Chère Jo Qui Fait Bien De Rappeler À Ses Collègues Qu'On N'Opère Pas À Cœur Ouvert,

L'arbre ne peut pas être plus long que son écorce. Autrement dit : la plus belle femme ne peut donner que ce qu'elle a... Mon grand-père adorait cette phrase qui n'était pas de lui mais qui en dit long sur les attentes souvent impossibles auxquelles nous devons répondre. Même avec toute la bonne volonté du monde, tu peux pas les inventer les cotes d'écoute ! Surtout en plein milieu de juillet. Les patrons ont-ils oublié que c'était les vacances ? Quel gaspillage de bonnes énergies que de travailler avec cette obsession constante du sondage. Les deux années où j'ai eu le plus de plaisir à travailler, c'était à l'époque de TV5, justement parce qu'on faisait des émissions – avant tout – pour le plaisir de faire du bon travail et non pour les damnées cotes d'écoute. TV5 n'était pas considéré pour les sondages.

Ce qui me manque depuis que j'ai recommencé à travailler, c'est de prendre le temps d'observer mon petit chiot se transformer au jour le jour, d'heure en heure, je dirais même. C'est touchant de voir Karma s'étonner devant une fourmi ou se fâcher contre sa première pluie, de la voir prendre sa place dans notre famille endeuillée. Pas évident de « remplacer » Clarinette. Son absence de peur est également pleine de leçons. La Miniplume Blanche est encore toute vierge de peur, et sa petite âme ne semble pas démontrer de dépendance affective exagérée. C'est peut-être ça un bon karma. Zéro dépendance affective. S'aimer assez soi-même pour ne pas trop aimer les autres ?

C'est peut-être pour ça aussi que j'ai choisi la solitude après avoir passé ma vie à rassurer tout le monde, à protéger, materner... tentant j'imagine d'oublier cette vive impression de n'avoir jamais été assez aimée. Lorsque j'étais en visite chez les zombies, le médecin qui me suivait m'a demandé si je voulais faire une thérapie. Spontanément j'ai dit non. D'une part, parce que j'ai pas les moyens et d'autre part, je trouve que je passe déjà assez de temps à auto-analyser mes névroses. (Jacques Dutronc, un petit être lui-même assez tourmenté, a déjà dit : « Régulièrement je trie ma mémoire et j'en jette une partie. » C'est très salutaire comme exercice.) Puis, tout à coup, sans m'en rendre compte, le mot « abandon » a jailli de ma bouche. Abandon. Un handicap qui remonte à ma petite enfance.

Est-ce que d'après toi c'est un échec de choisir la solitude ou c'est un état de grâce en devenir ? Sans doute une demi-grâce...

Au fait, c'est quand qu'on arrête d'être baisable ?

Ce matin, je suis allée me promener avec la Barrique Résiliente. La laisse, c'est vraiment pas son truc, contrairement à Karma qui, à trois mois et demi, marche comme une véritable pro. J'étais particulièrement en forme, je me sentais jolie et j'avais l'impression que même les oiseaux me sifflaient. Puis, j'ai croisé une petite fille de trois ou quatre ans qui se promenait en tricycle accompagnée d'une dame âgée. Je lui ai fait un sourire et elle a dit : «*Look Granny, she is a beautiful lady.*»

Te dire à quel point ça m'a ensoleillé le cœur. Je me suis sentie comme Monica Bellucci dans *Malena* et j'ai acheté un bouquet de fleurs.

La peinture est terminée dans l'appartement. Il est complètement jaune «canari». On dirait une garderie.

Je te laisse, Kadhafi-e a un oiseau dans la gueule et y a pas un seul homme dans la maison, Chippendales inclus, pour venir me sauver.

À demain !

Comtesse *Beautiful*

14 juillet

Bon après-midi,

Oh que ça paraît que je recommence à travailler ! À chaque début de contrat, je deviens extrêmement distraite, surtout avec la voiture. Pas en conduisant. À l'arrêt... Lors du dernier engagement, trois fois en moins d'une semaine j'ai oublié les phares – en plein jour –, lesquels ne sont jamais allumés en temps normal avant la nuit et que malgré le « bip bip » je laisse allumés. À coup de quarante dollars la dépanneuse, ça fait cher la première semaine au boulot. Hier, j'ai fait mieux en stationnant en double rue Sherbrooke pour acheter des cigarettes. Je descend rapidement, allume les clignotants d'urgence et, une fois au comptoir, je vois la voiture – neuve – qui part toute seule ; j'avais oublié de la mettre en première vitesse et de tirer le frein à main. Te dire le spectacle que j'ai donné en voulant la rattraper, essayant désespérément de la déverrouiller avant qu'elle n'emboutisse un autre véhicule. Rien de tel pour se faire remarquer... Les applaudissements ont fusé de toutes parts.

J'ai pu également découvrir que ma cote de charme était à la baisse en allant acheter une nouvelle imprimante avec ma conseillère en informatique personnelle, la splendide Miss Poussine âgée de vingt-trois ans. La semaine précédente, je m'étais rendue seule au magasin, retourner notre imprimante, brisée pour la seconde fois en moins de six mois, mais toujours sous garantie. Le préposé m'avait répondu qu'il fallait aller la porter moi-même à l'autre bout du monde chez le fabricant et compter un bon trois semaines avant de la récupérer. Après avoir utilisé le capital séduction disponible, insisté sur le fait qu'elle ne pouvait pas se permettre d'attendre aussi longtemps, Comtesse Pré-Quinquagénaire s'est résignée, puis a décidé d'en acheter une autre de meilleure qualité et surtout plus performante. J'y suis donc retournée avec ma fille. Lorsque Miss Pétard a demandé au jeune homme de service pourquoi, malgré la garantie, le magasin avait refusé de l'échanger, tout sourire il lui a dit de la rapporter, qu'il lui en donnerait une neuve sur-le-champ... Après, on nous demande d'accepter de vieillir avec grâce...

Côté «jeunesse», la dernière de Karma : sauter dans le bain pendant que j'y suis. Après trois plongées consécutives, je lui ai serré les ouïes. Alors, son nouveau jeu c'est d'apporter ses jouets et, un à la fois, de les jeter dans la baignoire. De son côté, Kadhafi-e devient une vieille désagréable, ce qui est préoccupant étant donné que nous avons le même profil. Parfois, juste pour emmerder la p'tite, elle lui pique ses jouets et s'assoit dessus.

Je ne peux pas croire que je suis en train de raconter de telles futilités.

Hier soir j'ai loué le film *My Big Fat Greek Wedding*. Te dire les souvenirs qui sont revenus ! Les Grecs et les Roumains ont quelques similitudes, surtout en ce qui concerne la façon d'élever leurs filles dont la vertu se doit d'être exemplaire. Le jour où notre père, feu le Comte, a su que son fils avait été dépucelé à l'âge de quinze ans, nous avons sabré le champagne. Par contre, Comtesse sa fille a été répudiée à l'âge de vingt ans, le jour où son père a su qu'elle avait un amant comédien et clown de surcroît.

Dans le film, il y a une scène où l'amoureux – pas grec – demande la permission au père – grec – de fréquenter sa fille. Le Clown a vécu avec feu notre père roumain un épisode du genre, mais en plus dramatico-comique. Un soir, après un souper sans doute trop arrosé, il a eu un violent accès d'amour romantique, décidant à minuit de débarquer chez le paternel pour lui dire à quel point il m'aimait et qu'il fallait absolument que nous recevions sa bénédiction. Connaissant le Comte, je trouvais le geste très beau mais surtout très hasardeux. Impossible de raisonner le Clown (j'avais même fait mention d'un poignard turc qui trônait en permanence sur la table de salon du paternel). L'amoureux, gonflé de courage, était décidé à défendre l'honneur de sa petite Roumaine si pure. Il n'est rentré que le lendemain matin, saoul comme un soldat en permission, après avoir vidé deux bouteilles de vodka avec mon père, qui lui avait répété toute la nuit ne pas pouvoir accepter cette liaison tant qu'un mariage ne le légitimerait pas. Le problème, c'est que nous ne voulions pas passer devant le curé (ou le pope, en ce qui concerne mon père, qui était catholique orthodoxe, comme les Grecs).

Le Clown avait été malade comme un chien.

Deux années plus tard, toujours incapable d'accepter notre couple illicite, le paternel apprenait que nous allions convoler, une Poussine de sept mois poussant dans mon ventre bien rond. La honte totale. Un mariage « obligé » dans sa propre famille.

C'est une honte que d'ouvrir une courge sans y trouver de graines.

Autrement dit, la plus grande honte pour une fille est de perdre sa virginité avant le mariage. Dicton africain mais qui pourrait être grec ou roumain.

À plus !

Poulette Courgette

21 juillet

Chère Jo Qui Angoisse Actuellement Sur Ses Cinquante Ans,

Comtesse Qui Aura Cinquante Ans En 2007 est très heureuse au boulot. Bien entendu, ce retour professionnel a débuté par un irritant automobile : une crevaison. Heureusement, depuis six mois – et à grands frais d'assurances –, Fils est légalement autorisé à faire le pied de grue à la place de sa mère en attendant la remorqueuse. Étant donné qu'il n'a jamais changé un seul pneu de sa vie, c'était plus sage de demander l'aide d'un professionnel. De plus, cette voiture qui n'a même pas deux semaines d'usure a déjà vécu son premier sinistre : un coup de guidon anonyme sur la porte côté passager. Pour couronner le tout, ce matin il pleuvait, ce qui a rendu mes cheveux fraîchement raidis aussi frisottés qu'une laine de lama. À part ça, la journée a été sympathique, agrémentée de retrouvailles avec quelques membres d'anciennes équipes auxquels je m'étais particulièrement attachée. Donc, bonnes énergies injectées à la professionnelle qui se croyait plus en berne qu'elle ne l'était réellement.

Maudite manie de toujours présumer le pire. C'est un poison. À l'époque où j'étais une Autruche, je ne présumais que le meilleur, ce qui me faisait flotter béatement au-dessus d'ab-so-lu-ment tout ce qui n'était pas une question de vie ou de mort. Le vent de l'inconscience est vivifiant et j'ai l'impression qu'il se re-pointe le nez.

L'Autruche a retrouvé le chemin de la maison. Youpi. De plus, d'après les magazines que tu as apportés, véritables creusets de tout ce qui est tendance (tu sais à quel point je suis influençable), les rondeurs sont redevenues séduisantes.

J'ai également fait pas mal de kilométrage ces derniers jours : Magog et les Laurentides. Dans le cas de Magog, j'étais le chauffeur de ma fille et de deux de ses amies polonaises (un mètre soixante-douze, cheveux blonds naturels longs jusqu'aux fesses et nombril percé). Lorsque nous avons fait l'épicerie, je ressemblais à une mère maquerelle en parade avec ses filles. Après les courses pour la bouffe, les poulettes sont allées à la SAQ acheter du vin et de la vodka. J'en ai profité pour ajouter au panier une bonne bouteille de rosé en prévision d'un après-midi bien légume, écrasée au bord de l'eau. Une fois à la caisse, Poussine et moi attendons que les deux pétards d'Europe de l'Est aient terminé leurs achats. Je m'impatiente devant le temps qu'elles prennent à choisir vodka, grappa ou les deux. Et voilà que Poussine (un quart roumaine) me dit :

« Maman, c'est des Polonaises. C'est comme les Roumains, tu sais comment c'est important pour eux la vodka. »

C'était dit avec beaucoup de tendresse.

Ciao !

Comtesse Madame Claude

23 juillet

Bonsoir Jo,

J'ai fait un peu de ménage de paperasse, en particulier ma collection de notices nécrologiques. C'est fou comme on apprend la vie en collectionnant la mort. Entre autres, depuis deux ans, c'est une véritable hécatombe chez les religieuses qui meurent presque toutes centenaires. Sans doute la vertu. Je suis certaine que des études scientifiques arriveront un jour à la même conclusion. Ce que j'aime dans ces notices – avec photos –, c'est qu'elles nous permettent en peu de mots de découvrir l'essence même des gens qui ont quitté cette planète, l'amour qu'ils ont reçu, le manque d'amour aussi. Pompeuses, froides, touchantes, désespérées, et de plus en plus souvent teintées d'humour. Des pièces d'anthropologie au travers desquelles émergent en filigrane règlements de comptes, déclarations d'amour et regrets. Mais plus que tout, elles illustrent le plus honnêtement du monde le rapport que les nouveaux défunts entretenaient avec la mort.

Un avis m'a fait sourire par son côté pompeux et absurde. Bien encadré sur une demi-page, on lit : « Après avoir passé beaucoup de temps dans deux hôpitaux, monsieur X a perdu sa courageuse bataille contre un empoisonnement dû à des salmonelles. » Mourir de la salmonellose… il me semble que c'est pas un détail flamboyant, d'autant plus qu'il n'existe pas de Fondation de la salmonellose à laquelle faire des dons.

Une autre petite notice m'a particulièrement touchée: «À ma cousine et à tous mes amis de près ou de loin côtoyés au cours de ma très belle vie, je vous informe que je suis allée rejoindre mon Rolland...» Tu vois, cette dame de quatre-vingt-onze ans est morte sereine. Toute prête à vivre une nouvelle expérience.

En paix.

Je suis vraiment obsédée par la mort. Peux-tu croire que mon plus grand plaisir est d'attendre la nouvelle saison de la téléserie *Six Feet Under*...

Comtesse Funèbre

24 juillet

Chère Jo Pourquoi Vieillir Pourquoi Pourquoi Pourquoi,

Aujourd'hui, j'ai décoré le salon. Encore une fois, *«in confusion comes the best»* (Coldplay). Des objets déménagés tant de fois depuis vingt-cinq ans et toujours réunis par «groupes» ont été séparés: l'horloge antique sur la desserte antique, le buffet en pin avec le miroir acheté il y a vingt-cinq ans dans le Maine lors d'un voyage en amoureux avec le Clown. Les voilà tous désunis pour une première fois. Je trouve ça très symbolique. En fait, ce changement va avec la prise de conscience que plus rien ne sera jamais comme avant. C'est illusoire de penser que tout est redevenu normal depuis que je suis sortie des limbes de la dépression. Plus rien ne sera jamais normal parce que mon regard sur la vie n'est plus le même, trop altéré par le souvenir indélébile des lieux désespérés, récemment visités. Alors il faut trouver un nouveau regard, une regard dont les références ne sont plus les mêmes. De toute façon, même sans péter les plombs, vieillir nous oblige à ajuster nos rêves.

«Ne te connais pas toi-même.» C'est l'actrice Arielle Dombasle qui a fait de cette phrase son mode de vie (ou de survie?). Madame Dombasle, comme tu le sais, collectionne depuis des années des jugements pas toujours tendres. C'est drôle, mais j'ai toujours aimé ce personnage en apparence évanescent et superficiel mais qui est, j'en suis persuadée, d'une lucidité et d'une intelligence supérieures à la normale. «Ne te connais pas toi-même. » Très peu freudien mais ô combien sage. J'ai justement regardé cette semaine à la télé la biographie de Freud. Sur l'échelle de un à dix de la névrose et du mal de vivre, monsieur Freud obtient un dix. De la petite enfance à sa mort, je ne suis pas convaincue qu'il ait rigolé souvent ! Ses états d'âme étaient violents, changeants et douloureux plus souvent qu'autrement. Il était fasciné par les forces intérieures sur lesquelles nous n'avons aucun contrôle et qui nous broient. Morale : il pensait trop. Re-morale : « Ne te connais pas toi-même. » Apprendre à travailler là-dessus.

Autre grand moment de télé au cours des mêmes vingt-quatre heures et qui, après la biographie de Freud, démontre avec éloquence à quel point, en un demi-siècle à peine, l'homme occidental en est venu à ne vivre plus que par procuration. *Queer Eyes for Straight Guys* est une nouvelle émission réalité dans laquelle cinq grandes folles assumées « relookent » des hommes hétéros de a à z et qui, en passant, est très drôle. Je faisais un rapide calcul des « émissions réalité » : *Big Brother, Cupid, How to Mary my Dad, Joe Millionnaire, The Bachelor, The Bachelorette, Race to the Alter, Paradise Island, Paradise Hotel, Temptation Island, For the Love of Money,* etc. (même la guerre est en direct), il y en a plus d'une vingtaine en ondes en même temps, toutes plus pathétiques les unes que les autres. Tu vas voir, bientôt ils vont en produire une qui se déroule dans un centre de soins palliatifs et les téléspectateurs pourront parier sur lequel mourra en premier. L'Occidental est-il à ce point dépourvu de vie personnelle, pour vouloir consommer ainsi celle des autres ? Ou est-ce à défaut d'être obligé de contourner des mines pour aller chercher son litre d'eau potable quotidien, qu'il a besoin d'observer son prochain se débattre ? Exactement comme dans le temps des lions à Rome. Sauf qu'à Rome les « talents » n'étaient pas rémunérés.

Décidément, je suis de moins en moins syntonisée sur mon époque. Quand je pense qu'au gouvernement (et de plus en plus dans les grandes compagnies), des gens sont payés pour écouter les conversations téléphoniques entre fonctionnaires et citoyens. Tu vois, au lieu de regarder la vie des gens à la télé, ils en font l'écoute. *Le Meilleur des mondes* d'Aldous Huxley, c'est plus de l'utopie. Ce qui me met hors de moi, c'est de savoir que des fonctionnaires-avec-sécurité sont rémunérés avec mes impôts de pigiste-sans-sécurité pour écouter des conversations et qu'en même temps on m'enlève mon crédit de personne à charge parce que Fils a gagné soixante-douze dollars de plus dans l'année que le montant limite fixé à six mille dollars. Je n'ai donc plus le droit de déduire mon enfant, un étudiant à temps plein de vingt ans (qui mange plus qu'avant), parce que nos élus considèrent que gagner un salaire annuel de six mille soixante-douze dollars le rend autonome. Alors, juste l'idée que le département de « l'audio-réalité » des deux paliers de gouvernement soit financé en partie par mes impôts me donne de l'urticaire. Je ne me suis pas encore penchée sur les créateurs-fonctionnaires du Conseil des arts et des lettres qui financent des expositions sur « les excréments humains » au coût de soixante mille dollars, mais refusent des bourses de cinq mille dollars à de jeunes créateurs pleins de talent et inconnus. N.B. : je ne fais pas référence à moi, qui ne prétends ni être une créatrice pleine de talent, ni une jeune inconnue, mais qui fais partie du groupe titulaire de lettres de refus laconiques.

Pendant ce temps, les élus décantent leur Maucaillou 1992 et trinquent à la santé des dociles vaches à lait.

Les Chippendales sont rentrés de vacances. Je m'ennuyais de leur présence calme et de leurs concerts nocturnes. Un saxophone s'est ajouté aux guitares depuis leur retour; c'était tellement agréable hier soir de les écouter. Une voisine est même venue leur dire à quel point leur musique égayait l'atmosphère de toute la rue. J'ai d'ailleurs revu le coup-de-casserole-yougoslave. Mon Dieu que nos perceptions changent selon l'humeur du jour. C'est vrai qu'il est particulièrement beau, mais la première fois que je l'ai vu, c'était comme si j'avais vu un supplément d'âme le magnifier. Tu vois à quoi ça tient un coup de foudre : à l'état d'esprit du jour.

La boule de mil a beau sauter, elle ne fera pas déborder le lait de la calebasse. Ou, si tu préfères, on n'échappe pas à son destin. Autre dicton africain.

Alors mon prochain coup de foudre, je sais vraiment pas quand est-ce que le destin l'a prévu...

À plusse !

Iléana Qui A Vraiment Très Hâte D'Être Amoureuse

27 juillet

Chère Jo,

Pendant que je t'écris, je ressemble à une momie, couverte du tout premier masque de beauté à vie, c'est-à-dire de l'argile blanche et de l'huile d'olive. Karma a eu peur en me voyant et Kadhafi-e, trop concentrée sur l'armoire à souris, n'a même pas sourcillé. En ce moment elles dorment, épuisées par quatre heures consécutives à gruger chacune un os fumé acheté au *pet shop*. La maison au complet est «effluvée» d'un mélange de bacon, d'épices à barbecue et de côtelettes de porc. Les amateurs du genre appellent ça «*hickory*».

Les Chippendales sont en plein concert. Ils ont installé de l'éclairage sur le balcon. De ma chambre, avec les arbres, on se croirait dans un camp de scouts. Ce soir, c'est Neil Young qui est à l'honneur.

Je crois que je vais échanger la voiture pour un pick-up. Cette nouvelle lubie doit faire suite à la balade dans celui de Wilfred en avril dernier, alors que je le conduisais de l'est de la ville pour un tournage, l'équipe voulant lui faire une surprise au lendemain de sa consécration à *Star Académie* et ce, exactement une semaine après mon retour professionnel post-dépression. Imagine Comtesse rue Sherbrooke un lundi matin, au volant du camion de la nouvelle star du Québec, une caisse d'huîtres, directement livrées de Tracadie-Sheila dans le coffre.

Décidément, ma vie est surréaliste.

Tout ça pour dire qu'un pick-up c'est polyvalent comme un vieux recherchiste et qu'un tel véhicule pourrait être fort utile entre deux contrats. Qui sait, un jour je vais peut-être devenir cuisinière à temps plein et il va me falloir un véhicule pour ramener les légumes frais de chez le cultivateur.

Ce matin, Frérot est venu chercher quelques meubles appartenant à Petite Claire. Depuis au moins vingt-cinq ans, ils m'accompagnaient de maison en maison, devenus avec le temps les seuls biens du patrimoine familial, lequel a été disséminé au plus offrant, comme tu le sais, par une veuve très brièvement éplorée qui de surcroît n'était pas ma mère. Ces meubles, je le réalise depuis qu'ils ne sont plus là, étaient également identifiés à mes différentes errances : le premier appartement, la première maison, mes amours, mes peines d'amour. C'est étrange de ne plus les voir. Encore un signe, je suppose, des temps changeants. Quant à la plante quinquagénaire appartenant à Petite Claire, après que j'en eus hérité les deux dernières années, elle a retrouvé sa propriétaire, en route elle aussi pour sa nouvelle vie.

Fils et son amoureuse ont rompu. M'a simplement dit que les filles étaient « vraiment compliquées » et qu'il avait besoin de la voiture pour aller reporter couches et biberons, devenus inutiles à l'auberge. Je le sens tellement chaviré.

Le non-conventionnel est vraiment génétique chez les Doclin. Au lieu d'aller rendre une bague, Fils rend des biberons.

Hier soir j'ai pleuré. Pour rien. Tout va bien. En arrivant du boulot, je me suis assise sur le lit et, instantanément, mes yeux se sont mis à couler. Pas des sanglots qui venaient du ventre. Juste des larmes teintées de tristesse diffuse. Ça doit être la fatigue. Être pigiste pendant vingt ans, ça en fait des prénoms et des visages à connaître ! Nous sommes toujours de passage. Trois mois ici, six mois là. Plein de premières journées d'école à apprivoiser, le sourire intelligent et le dos bien droit.

Déjà trois semaines depuis le retour professionnel, à cinq mètres des lieux où j'ai pété les plombs en direct un jour de novembre, et éventuellement en différé, les mauvaises nouvelles ayant tendance à se répandre plus vite que les bonnes.

Le même fumoir, les mêmes fumeurs.

Comme tu le sais, je suis de nature assez limpide, donc pas du genre à raconter avoir été en stage à Rome, saoulée de bonheur une année durant par le vin, les hommes désirants et le tintement millénaire de l'eau de l'une de ses mille fontaines. Sans avoir organisé de point de presse pour discuter de mon «état» mental, étant fumeuse, j'ai le loisir de faire de brèves rencontres quotidiennes dans un endroit honni mais où, par contre, le temps d'une cigarette, personne ne se sent jugé. Un lieu de brefs plaisirs délinquants que seuls les fumeurs peuvent connaître (je vais tellement me faire tomber dessus par le lobby anti-tabac !). Étant donné que nos vies sont de plus en plus réglementées, le fumoir devient le dernier bastion où même le boss le plus *big*, le temps d'une clope, redevient «juste bien» et humainement accessible. Le temps d'un vice aussi, on apprend que la plupart des humains ont connu un épisode de dépression. Sauf qu'en télé, on appelle ça un burnout.

Comme je me suis coupé la jambe sur une table en vitre en déménageant en mai dernier, peut-être qu'une rumeur courra selon laquelle au plus mal de ma dépression, j'ai tenté de m'ouvrir les mollets.

J'ai hâte d'avoir de tes nouvelles !

Volaille En Redevenir

1er août

Chère Jo Qui Habille Son Homme Dans Les Belles Boutiques,

Habiller son homme un jeudi soir après le boulot, je trouve ça charmant et, à l'instar de griller une cigarette avec des pairs fumeurs (oui, tu as bien lu : le mot « pair » tant exécré), toujours propice à des conversations décousues mais hallucinantes de sincérité (oui, j'ai écrit le mot « sincère »), tu fais essayer à ton amoureux un vêtement, tu oublies de quoi vous parliez lorsqu'il ressort de la cabine, tu lui dis qu'il est beau, que telle coupe l'avantage. Tu l'observes, puis fais un voyage dans le temps à l'époque où vous viviez en Afrique ou à Saint-Nicolas, tu penses à tes fils et à la moitié de ta vie passée avec ce gars-là. Je suis certaine que tu es bien, que tu te sens insouciante. Vos conversations sautillent d'un sujet à l'autre avec une légèreté réconfortante. Exactement comme au fumoir.

Tu me diras si j'ai raison dans ta prochaine lettre, OK ?

Dans un autre ordre d'idées, les travaux du triplex incendié semblent complets. Il était temps après six mois. Les premiers locataires déménagent en ce moment et ils me semblent « normaux ». Je le précise parce qu'en treize ans de voisinage immédiat, il y a eu au moins vingt-cinq locataires différents, et du nombre, trois à peine étaient standard et/ou fonctionnels. Si tu savais les « cas » qui ont partagé notre mur mitoyen! En général, le roulement se faisait de nuit en plein milieu d'un bail et ce, le plus souvent après plusieurs mois de loyer non payé. Tu me connais assez pour savoir que je suis très tolérante et vraiment pas jugeante, mais Dieu que ça va faire du bien d'avoir des voisins qui ne se tapent pas sur la gueule, qui ne font pas pipi sur la clôture et ne transforment pas l'appartement en serre hydroponique illégale.

Depuis hier, les biberons, les couches, le siège de bébé et l'amour sont de retour au 2283. Le soir où Fils est parti reporter les biens appartenant à son amoureuse et après quatre jours de tristesse infinie, le jeune couple en a profité pour se parler. Et tu sais quoi? Chacun présumait que c'était l'autre qui voulait rompre, alors ils n'osaient tout simplement plus s'appeler. Comme dans le film *Une liaison pornographique* (film qui a d'ailleurs changé une partie de mon regard sur la vie), en présumant des intentions des autres, on empoisonne notre vie et on change le destin pas toujours pour le mieux…

Le 1er août, en plus de me rappeler que j'ai une hypothèque à payer, me rappelle que j'ai également un échéancier à respecter pour la livraison de *L'Autruche II*. Je suis pas très productive… Petite crainte récurrente de ne pas être à la hauteur. J'ai hâte de redevenir insouciante.

Je te laisse sur un dicton zen qui illustre bien l'une des grandes difficultés à surmonter au cours de notre vie: la peur qui prend ici la forme d'une queue…

C'est comme un buffle d'eau passant à une fenêtre. Sa tête, ses cornes et ses quatre pattes: tout passe.

Pourquoi sa queue ne passerait-elle pas ? La peur nous empêche de passer par bien des fenêtres...

Bonne fin de semaine !

La Miniauteur

4 août

Chère Amie En Retraite Monacale Avec Ton Chien,

L'espérance est un emprunt fait au bonheur. C'est beau tu trouves pas? C'est de Joseph Joubert, un «moraliste» du XVIIIe siècle (c'est pour ça que les dépressions sont si dévastatrices, elles font disparaître toute notion d'espoir). Tu sais où j'ai trouvé ça? Dans une livre reçu en 1993 à l'époque de *Ad Lib*. L'auteur était un ex-prisonnier repenti qui avait fait dix-huit ans de pénitencier. Le bouquin, endossé par le Département de criminologie de l'Université de Montréal, avait donc une légitimité. Six cents pages à raconter une vie si difficile qu'elle en était presque non crédible de par la cruauté qui l'avait jalonnée. Chaque fait raconté avait été vérifié et contre-vérifié. Je me souviens très bien de son auteur, Donald Pollock. J'avais fait la pré-entrevue dans la cafétéria de TVA. Il était touchant.

Lui, c'est Dieu qui l'a sauvé.

Hier, j'ai été très *home and garden*. Mes nouveaux quartiers se transforment eux aussi. Plus joyeux, moins chargés de souvenirs et photos qui se coloraient de nostalgie en vieillissant. Tu sais à quel point je hais la nostalgie. Par contre, là où la nostalgie de mes vingt ans m'assomme très concrètement, c'est lorsque je vois à quel point mes traits se creusent, tandis que mon tour de taille s'amplifie.

J'ai mis de l'autobronzant pour la première fois hier. Je pense y être allée un peu trop généreusement. Ce matin, si j'étais allée acheter des cigarettes avec un tchador, on m'aurait prise pour une Afghane en pleine jaunisse. Mais ça donne tout de même bonne mine d'être ainsi métissée, ça fait oublier momentanément les cernes. Tu vois comme je redeviens Autruche.

Don Extrêmement Studieux (... ?) est en train de faire ses devoirs d'école d'ébénisterie dans sa chambre. Le couteau à bois résonne gaiement, les tiroirs de sa table Louis XVI devant être prêts d'ici la fin de la semaine. Ça fait chaud au cœur de voir à quel point il aime ce qu'il fait, lui qui a tant souffert entre la maternelle et le cégep, souffrance partagée par sa mère qui a dû à quelques reprises faire preuve de flagornerie et de charme auprès des différents directeurs de collèges, afin que son enfant puisse compléter l'année dans la même institution. Finalement, le même parcours scolaire que sa maman. Fils n'a jamais aimé l'école et je suis bien mal placée pour le juger, l'ayant moi-même détestée.

Mon problème avec l'autorité remonte donc à la petite enfance. Je n'ai jamais pu supporter que l'on décide à ma place, ce qui m'a valu une éducation dans quatre institutions différentes. Il y a trente-six ans précisément, mon professeur de français au primaire, madame Bray, l'épouse du fondateur des librairies Renaud-Bray, m'avait d'ailleurs dit avec une forme de tendresse que je ne ferais «jamais rien dans la vie, trop têtue et rêveuse pour fonctionner dans la société...» Au fait, «faire quelque chose dans la vie», c'est quoi ?

Je ne suis pas au bureau ce matin *because* j'attends le Joyeux Ramoneur qui, bien entendu, ne vient pas ramoner la proprio mais le poêle à bois des Chippendales. Lorsqu'il a vu Kadhafi-e avec sa guenille, Karma avec une chaussette appartenant à Fils et le boa du 2285, au moment de partir il a dit que notre maison ressemblait à une bande dessinée et qu'il aimerait être encore de service l'année prochaine au 2285. Décidément, il n'y a pas que l'au-delà que notre petite famille divertit.

Côté jardin, Clara Le Sapin ne va pas très bien. Le Petit Oiseau Des Îles, que je garde quelques heures aujourd'hui, voyant ma mine déconfite, m'a dit le plus sérieusement du monde : « Peut-être qu'elle n'aime pas ça être un sapin ? »

Bonne journée !

L'Autruche En Pleine Allégorie Autour Du Mot Ramoner

6 août

Chère Jo,

Ma journée a débuté par une interrogation d'ordre pharmaceutique... Me suis-je empoisonnée ? ou fertilisée ?

Cette nuit, j'ai eu super mal au dos. À quatre heures du matin, suis allée fouiller dans la boîte à pain, dont la mission n'est pas de conserver le pain, mais plutôt de planquer les divers objets en attente de rangement. Et, comme depuis plus d'un an le rangement ne fait pas partie de mes priorités, on y trouve à peu près de tout : cirage à chaussures, factures non payées, livre sur les calories, bouts de rubans, carte or du Père du meuble, bref, plein d'objets orphelins dont de l'engrais pour plantes en comprimés. De mémoire, il m'était déjà arrivé d'y ranger aussi des anti-douleurs. Cette nuit, ne trouvant pas les aspirines dans la pharmacie, j'ai fouillé dans la boîte à pain à la recherche des Robaxacet. À tâtons, je suis tombée sur une plaquette de gros comprimés. J'en ai pris deux avec un verre de lait, et j'ai réalisé ce matin que c'était de l'engrais pour plantes tropicales qui avait soigné mes douleurs dorsales nocturnes.

J'attends les pousses...

Aujourd'hui, je suis allée voir une astrologue. Excellente nouvelle pour la pré-quinquagénaire : une fois la planète Jupiter dans ses quartiers célestes, fin août, chacun de ses pores devrait exulter le charme et le dynamisme.

Rien de moins.

Il est vingt-deux heures. Je vais me coucher et en profiter pour réfléchir à la gestion éventuelle de tout ce nouveau capital de charme.

Bonne nuit !

Comtesse Engrais Et Charme

8 août

Chère Jo Qui Surfe Entre Un Tourbillon Et Une Vague,

Il est vingt heures trente-sept. Si j'entends encore un grillon (ou un criquet, ou une cigale ?) chanter la chaleur, je loue le boa des Chippendales et je le dresse pour qu'il devienne insectivore les soirs de canicule. Pas besoin d'écouter la météo : si l'insecte se manifeste, nous sommes bons pour une journée de chaleur infernale. Que font-ils de leurs soirées lorsque la température est normale ?

Le splendide coup de casserole yougoslave vient de sortir du 2285. Aujourd'hui, je l'ai « re » trouvé plutôt divin... trop jeune pour moi, mais vraiment divin. C'est pas juste. Comme un frigidaire vide. Un frigidaire vide consomme plus d'électricité et la plupart du temps, lorsqu'il est vide, c'est parce que l'argent se fait rare.

Une autre allégorie.

Plus que dix-sept dodos avant cet horrible anniversaire que tu appréhendes tant. À trop t'en faire face à un événement aussi inéluctable, tu vas rider inutilement et tu gaspilles ton énergie à accepter qu'un chiffre dénature ce que tu es vraiment (encore plutôt dynamique et pétard par rapport à certains trentenaires déjà trop vieux).

Hier, Miss Blondinette, son homme, Petite Fleur Des Îles et moi sommes allés voir ma mère dans son mini château des Laurentides. Elle était tellement mignonne sur « sa » galerie à nous attendre, entourée de ses trois chiens.

Depuis qu'elle habite « sa » propre maison, Petite Claire a rajeuni de dix ans. Ça faisait une mèche que ses yeux bleus n'avaient pétillé avec autant de lumière.

Je crois que ce nouveau pan de vie sera très serein pour notre petite maman. Après avoir vécu trop souvent pour les autres d'abord et sous le diktat des deux hommes qui ont partagé sa vie, cette nouvelle existence en solo est un cadeau. Une vie à elle d'abord. Une vie définie par elle seule.

Décidément, côté boulot, j'aime beaucoup Luc. Tu vois, il est devenu mon boss le temps d'un contrat et, de la façon dont tout se déroule jusqu'ici, je n'ai aucun problème avec l'autorité que lui confère son titre. Il faut dire que nous l'avons connu « aux couches » professionnellement. Je le trouve drôle, touchant, travailleur, et sa tête pleine de projets m'inspire.

J'ai gardé Petite Papaye aujourd'hui. Un charme. Nous avons fait de l'aquarelle en écoutant les disques de Coldplay et Gogh Van Go, un groupe que nous avions reçu à *Ad Lib,* devenu, depuis près de dix ans, mon disque fétiche. Une autre époque, souviens-toi chère amie, une époque où les gérants nous rappelaient dans la demi-heure... À bien y penser, *Ad Lib* aura sûrement été le dernier vrai *talk show* de variétés à la « Leno », où se mêlaient à la fois Gainsbourg, le premier ministre, des danseuses du ventre, Lasagne, Raël, un taureau au zizi millionnaire et Jean D'Ormesson. Taper nos recherches à la machine à écrire, fouiller au centre de doc. Photocopier, découper et s'émerveiller devant le tout premier système de banque de journaux électroniques de la salle des nouvelles. Il me semble que les liens aussi étaient plus chaleureux avec nos invités. Lorsqu'on désirait recevoir un artiste, on l'appelait directement et on avait l'heure juste. Soit on se faisait envoyer paître, soit on trouvait une complicité, soit rien du tout. Au moins, il était possible de décoder l'état d'esprit du moment. Je ne veux surtout pas avoir l'air d'une vieille bique passéiste, mais je trouve que même si on travaillait plus fort, les choses étaient plus simples et surtout moins hyper-censurées-programmées-analysées-et-gérées.

Au bout de deux dessins, la petite me dit : « Ils ont l'air très fatigués tes chanteurs », faisant référence à la mélancolie qui baigne Coldplay et Gogh Van go, ajoutant qu'à la maison, sa maman, elle, écoutait de la musique qui « bouge ».

Fils a acheté des vitamines à son amoureuse. C'est mignon tu trouves pas ?

Dans trois jours, c'est l'anniversaire de mon ami et ex-nanny, Pierre Létourneau. Il devient titulaire d'une carte de l'Âge d'or. La soirée s'annonce émouvante. C'est toute une époque de la chanson québécoise qui va se retrouver et picoler. Soixante-dix personnes sont attendues. J'ai très hâte d'y aller. Je t'en reparle demain.

Comtesse Vieille Bique

12 août

Salut Poulette,

Ce matin, Comtesse a eu toutes les misères du monde à se lever, son dos étant barré par Dieu sait quelle nouvelle source de stress. Elle a par la suite croisé une souris dans la cuisine et trouvé dans la boîte aux lettres un magazine recensant les hommes d'affaires les plus prospères au Québec. Je crois qu'elle va s'y chercher un mari. Autre signe que les temps changent... (à part la visite des souris, bien entendu).

Comme je te le disais rapidement au téléphone, l'anniversaire de Pierre Létourneau aura été une soirée formidablement réussie. L'espace de quelques heures, le passé, le présent et l'avenir se sont mêlés tout naturellement. Marie, la fille de Pierre que j'ai connue aux couches, maintenant âgée de quinze ans, était accompagnée de son premier amoureux. Nadine, celle de Lise, également connue toute petite (Lise-pour-qui-le-Clown-m'a-quittée-il-y-a-vingt-ans-et-qui-vit-depuis-dix-ans-avec-Pierre), arborait un tellement joli ventre de femme enceinte pour ses trente ans, l'amour et le bonheur l'illuminant d'une grâce presque irréelle. Pour couronner le tout, nous avons eu droit à un spectacle privé auquel participaient les quatre meilleurs amis de Pierre depuis quarante ans : Claude Gauthier, Stéphane Venne, Michel Robidoux et Pierre Calvé. Même son ophtalmologue y est allé d'une chanson composée spécialement pour le jubilaire. Ce gars-là a d'ailleurs tellement de talent qu'il pourrait lâcher les rétines pour la musique. Des Îles-de-la-Madeleine, Jean-Guy Moreau avait lui aussi envoyé une chanson de son cru écrite, interprétée et *shippée* par MP3 pour cet anniversaire. Finalement, il ne manquait que Félix. Une partie du restaurant avait été réservée pour la soirée, et lorsque Claude Gauthier a entamé les premières notes du *Plus beau voyage* (accompagné par le docteur Rétine au piano), la plupart des clients assis sur la terrasse se sont massés à l'entrée de la salle, le sourire jusqu'aux oreilles et la fibre patriotique subitement exacerbée. Jo, si tu avais vu et entendu comme c'était beau! Il y avait tellement de chair de poule dans la même pièce que la température a dû monter de cinq degrés (et j'ai frisé).

Puis, comme si c'était pas suffisant, Stéphane Venne qui n'a jamais retouché à un piano en public depuis vingt ans, s'est mis au clavier pour chanter *Tu trouveras la paix dans ton cœur* et la re-célèbre *Et c'est pas fini*. La surprise était si grande (et surtout si étonnante) que Pierre n'en est pas encore revenu. Le plus beau, je trouve, aura été de voir en 3D cette amitié sincère qui dure depuis plus de quatre décennies. Cette soirée était la fête de la musique autant que celle de Pierre Létourneau.

Ce qui m'a frappée également, c'est de voir que parmi les soixante-dix personnes présentes, les trois quarts des invités fumaient comme à l'époque des boîtes à chansons, arborant (au grand dam encore une fois des ayatollahs antitabac) une mine et une énergie splendides, carrément insultantes pour les gens qui carburent à la peur d'attraper un cancer en croisant un cendrier (mais qui conduisent des 4 x 4 pour aller magasiner au centre-ville). Morale : après avoir vu trop d'apôtres de la santé mourir de différents cancers, je me dis que si j'attrape un cancer du poumon, celui-là au moins je l'aurai mérité.

Bonne journée !

Comtesse Cigarette

15 août

Chère amie, le bonheur vient de l'appétit qu'on a pour lui. Il vaut donc mieux ne pas avoir une gastro devant une rosette de Lyon.

Et la terre a une gastro terrible.

Il est dix heures du matin. Je viens de terminer de lire *La Presse* du samedi et TOUTES les nouvelles étaient tellement déprimantes que j'ai lu les petites annonces de la section «rencontre», manquant de peu d'y répondre. Une qui disait ceci: «Denrée rare de l'ouest de l'île, cinquante et un ans – autonome financièrement –, libre, recherche femme mince OU proportionnée.» Je suis pas mince, mais tout de même encore appétissante et proportionnée. Et j'aurais signé: Grand Cru Prêt À Être Débouché.

Mais je ne l'ai pas fait. Trop triste depuis vingt-quatre heures.

Cet accablement n'est pas dû à un événement en particulier. Il reflète plutôt l'air du temps planétaire. Imagine les pauvres enfants qui vivent ce nouveau millénaire tellement vide d'espoir. Le virus du Nil, le SRAS, l'Irak, le Liberia, la Palestine, la canicule assassine en Europe, les feux de forêts, les subventions de deux cent cinquante millions aux pétrolières, Bush et ses mensonges, la haine endémique (et épidémique) entre l'Islam et l'Occident, «les» procès des Hell's payés à même nos impôts, la notion de justice de plus en plus utopique, les amants jaloux qui tuent leur femme «par accident», le gouvernement qui place des petits vieux dans des centres d'accueil – après soixante années d'amour – à deux cents kilomètres l'un de l'autre pour raisons de gestion. Les écrits de Tom Clancy se concrétisent chaque jour. Bref, la liste est si longue que ça me donne le goût de pleurer. Heureusement, les Chippendales n'arrêtent pas de chanter.

Cet épisode de déprime est peut-être dû aussi en partie à la fin de mon contrat à Radio-Can. C'est vraiment le cœur gros que je quitte cette mini-équipe. On a tellement ri pendant un mois. Ça faisait une mèche que je n'avais eu le goût de me lever pour aller au boulot.

Lundi, début de la « nouvelle école » pour la pigiste et nouveaux « amis » à apprivoiser.

Hier soir en me couchant, j'ai trouvé dans mon lit quatre roches, deux os, une balle de tennis, un rouleau de papier de toilette déchiqueté, une sandale, et assez de terre pour faire pousser un avocat, plus Karma et Kadhafi-e endormies côte à côte, épuisées mais visiblement heureuses de leur journée. L'image était attendrissante.

Autre grande question : qu'est-ce qu'on fait lorsque l'on aspire à devenir bouddhiste mais qu'il y a des souris dans la maison ?

Je te laisse avec la pensée du jour : *Parfois je vais en m'apitoyant sur mon sort et, tout le temps, un grand vent me porte à travers le ciel*. Dicton ojibwa.

Comtesse Qui Attend Le Vent

19 août

Chère Jo,

Le jour de l'accouchement on ne peut cacher le nombril. Ou, si tu préfères : quand la vérité éclate, tu ne peux la dissimuler. Proverbe africain très-très-très d'actualité.

Lorsque même l'ONU se fait attaquer par la brigade des martyrs, l'avenir est vraiment sombre. Je crois que j'ai plus peur de mourir de la main de terroristes que de mourir d'un cancer du poumon. Le pire, c'est que je suis sérieuse. George W. Bush passera à l'histoire sous la rubrique « causes de la fin du monde ».

L'autre jour, je regardais un reportage sur l'Irak, depuis sa « libération ». Savais-tu qu'en temps de guerre, jamais on ne sert aux soldats des ragoûts ? Trop proche graphiquement de ce qu'ils vivent au quotidien. Pendant ce temps-là, ici, des parents s'insurgent parce qu'on ose obliger leurs pré-pré-adolescentes à porter un uniforme en classe afin que leur progéniture, qui a de moins en moins l'air d'enfants, puisse passer l'année à étudier plutôt qu'à aguicher, inconsciemment pour la plupart, quelque libidineux trop heureux de se rincer l'œil devant autant de lolitas. Tout ça pour ne pas brimer leur liberté d'expression. Dieu sait que je ne suis pas étroite d'esprit, mais bordel ! protégeons le peu d'enfance qu'il leur reste.

Troisième journée du nouveau boulot. Notre réceptionniste est un pilote d'avion. Tu vois, les temps sont durs pour tout le monde. Quant à moi, je suis «punie» (pas de rappel pendant au moins une semaine) par une boîte de relations publiques pour avoir osé téléphoner directement à un invité que je voulais recevoir à l'émission. Décidément, je suis due pour une réorientation de carrière. Je vais envoyer mon C.V. à *Planète animale*.

Côté bonne nouvelle, j'ai l'impression que mon métabolisme est en train de s'habituer à la canicule et j'ai été draguée par un boucher arabe sexagénaire qui a poussé l'attention jusqu'à me faire goûter à une tranche de saucisson Halal (oui, ça existe!). Sans oublier que c'est le dernier paiement de La Pompadour à convection.

À part ça, j'ai hâte qu'il neige.

Bonne soirée,

I.

23 août

Chère Jo,

Ça ne va pas fort fort. L'ordinateur a été contaminé par un virus, j'ai sur le nez un bouton tellement gros que je n'arriverais pas à sentir mon pouls plus clairement avec un stéthoscope. Les Chippendales n'ont plus de ligne téléphonique active (le plombier doit passer et n'arrive pas à les joindre... ? ? ; Karma a déchiqueté le seul exemplaire imprimé de ce texte (dois-je y voir un signe ?) ; ça fait trois mois aujourd'hui que ma vieille Clara est morte, et Clara Le Sapin a profité de cette date anniversaire pour rendre l'âme elle aussi. C'est tout de même spécial qu'elle soit morte un 23 mai et que Karma soit née un 23 mars.

Tu le sais que j'essaie vraiment d'être positive. Mais on dirait que le bonheur auquel je ré-aspire est occupé ailleurs depuis deux ans. Puis hier soir vers vingt heures (donc après notre conversation téléphonique pas très « hop la vie » de la part de Comtesse), il y a eu le premier vrai grand vent ojibwa des derniers trois mois. Un vent frais et puissant qui a chassé les dernières odeurs de la canicule de même que les impatiences au volant. Un beau vent d'automne.

Renaissance instantanée pour Comtesse.

Hier soir au lit, je réfléchissais à ce que j'aimerais faire du reste de ma vie : vivre à la campagne avec des chevaux. Le plus bel été de mon existence, je l'ai passé, à l'âge de douze ans, à ramasser du crottin huit heures par jour, pour ensuite avoir droit à une promenade à cheval. Les chevaux me fascinent. J'aimerais tellement apprendre à les connaître. J'ai dû être un cheval abandonné dans une autre vie. Il faudrait que j'envoie mon C.V. à une ferme équestre. Je pourrais être à la fois cuisinière, palefrenière et relationniste. Je pourrais surtout réaliser un rêve. Qu'en penses-tu ?

Mes ailes repoussent. Le processus est un peu lent mais elles n'en seront que plus solides. Un jour je vais avoir mon propre cheval.

Je te laisse, le Saucisson Résilient s'est fait piquer son os par Karma et ça risque de dégénérer.

Comtesse Équestre

24 août

Chère Amie,

Sais-tu aussi que tu as réussi à me faire brailler hier lorsque j'ai reçu ta lettre. C'est tellement touchant ce que tu as écrit... sur cette façon qu'a l'existence de nous envoyer toutes sortes de petits bonheurs qui arrivent au moment où l'on est convaincus – au plus profond de notre tristesse – d'avoir été oubliés au sous-sol. J'ai donc pleuré devant ce petit mot tout simple qui t'a fait tant de bien.

« Superbe ».

Comme compliment, c'est encore plus formidable que « beau ». C'est riche, équilibré. Joli cadeau, en cette veille d'anniversaire, que d'entendre un splendide gars de trente-quatre ans dire que tu es superbe et, surtout, qu'il fallait ab-so-lu-ment qu'il te le dise !

Tu vois, c'est ce qui me manque depuis si longtemps. Une petite joie toute gratuite, une surprise agréable et non une collection de mini tristesses qui me collent à la peau telles des sangsues boulimiques.

Pour me changer les idées, j'ai décidé de faire une grossesse nerveuse. Les ventres joliment ronds font un retour en force cette année. La plupart des femmes enceintes croisées ont plus de trente ans et attendent leur premier enfant. Je suis frappée par la félicité qui émane d'elles, conscientes du miracle qui s'opère en elles.

Lorsque les Oisillons ont été fabriqués, je réalise maintenant avoir été une petite fille insouciante, galvanisée par l'amour, l'énergie de mes vingt ans. J'ai vécu deux grossesses avec une vitalité insolente. Sans m'en rendre compte. Pas l'ombre d'une nausée ni d'un malaise et la conviction que mes enfants seraient parfaits. C'est peut-être pour ça qu'ils sont devenus d'aussi beaux adultes. Pendant neuf mois, la peur était inexistante dans mon système. Les Oisillons ont donc poussé dans un environnement physique exempt d'énergies négatives. C'est après leur naissance qu'il a fallu rembourser toute cette belle insouciance. Une autre réalité nous attendait au tournant : un papa absent du décor. Alors, tous les trois, on a appris ensemble et on a grandi ensemble. Ça tombait bien, j'étais moi-même encore une enfant.

J'espère que tu vas passer des vacances à la hauteur de la « superbe-pétard-quinqua » que tu seras dans trente-cinq heures approximativement. Profite de ton homme, du vent marin, du homard, des étoiles et profite surtout de tout ce temps libre pour penser et repenser à la signification du mot « superbe ».

Have a lot of good nights in Ogunquit!

Je te souhaite – à l'avance – BONNE FÊTE ! ! ! BONNE FÊTE ! ! ! BONNE FÊTE ! ! ! !

Comtesse Aux Pensées Éparpillées

28 août

Chère Jo Bord De Mer,

Je viens de découvrir un personnage absolument fabuleux : Paul Burrell, l'ange-gardien de la princesse Diana, alors qu'il donnait sa première entrevue de fond postacquittement du supposé vol de biens appartenant à la régente de son âme et probablement le plus grand amour de sa vie. Il était touchant. Touchant de fidélité et de dignité. Toujours en me basant sur du purement aléatoire, c'est-à-dire l'intuition, je l'ai adoré. Une de ses phrases m'a frappée... c'était la première fois que j'entendais quelqu'un affirmer avec autant de sincérité : « Il n'y a aucune dignité dans la mort. »

Monsieur Burrell est probablement le dernier de la race.

Dans un autre ordre d'idées, le plombier est venu hier matin débloquer la cuvette du 2283, un objet « indéterminé » en obstruant le passage. La cause cette fois-ci : une figurine Hulk. La dernière fois qu'une intervention a été nécessaire, c'était à cause d'une brosse à dents. Il avait fallu changer la cuvette au complet. C'était également l'époque du premier bébé habitant l'auberge, une enfant de deux ans devenue, trois ans plus tard, une petite Fleur avec laquelle je fais de l'aquarelle en écoutant des chanteurs-qui-ont-l'air-très-fatigués.

2003... Et un autre petit bébé en pleine découverte à l'auberge ! C'est fou ce que c'est attirant un récipient d'eau. Le côté positif : le plombier a confirmé que tout le reste de la tuyauterie se portait à merveille. Tu vois, je recommence à prendre les problèmes avec un grain de sel.

Mes plumes repoussent vraiment !

La maison des deux chiens à la fenêtre semble être karmiquement « zonée familiale ».

Le 16 septembre prochain, c'est mon anniversaire et c'est également la date du treizième anniversaire de l'achat de l'auberge. C'est un 16 septembre aussi que j'ai fait l'amour la première fois et un 16 septembre que je me suis fait domper pour mes trente ans par un gars dont j'étais vraiment très amoureuse. Le 16 septembre, c'est le souvenir de mes dix-neuf ans à la frontière Autriche/Hongrie, en voiture partie de Paris en direction de la Roumanie, un *sacher torte* acheté à Vienne quelques heures plus tôt sur le siège arrière et un douanier qui s'évertuait à me souhaiter bonne fête en hongrois. L'équipe québéco-roumaine-trans-Alpes-Carpates-Danube était constituée de Petite Claire et de Sœur Aînée, laquelle s'en allait se marier avec un Roumain qui avait réussi à l'enjôler.

16 septembre... c'est la date de signature du contrat de mon tout premier livre.

Mais veux-tu me dire pourquoi je me suis ré-embarquée dans cette aventure ? Pourquoi est-ce qu'il faut toujours que je me remette en danger ? Peut-être pour me tester et m'assurer d'être redevenue « anormale », donc Autruche.

Côté administratif, les nerfs de Comtesse dorénavant à but lucratif ont aussi été testés, une petite inquiétude purement arbitraire la titillant au sujet des Chippendales dont le téléphone a été débranché il y a deux semaines. Je me suis bien entendu imaginé le pire : perdre mes locataires après seulement trois mois ? Quelques meubles avaient également « quitté » le 2285... Mon intuition, si bonne dès le début à leur égard, s'était-elle plantée ? Je suis donc montée clarifier la situation.

Ça a pris moins de cinq minutes.

L'Autruche est fière d'avoir éliminé une source de stress « inutile ». Mais Dieu qu'elle déteste demander quoi que ce soit ! Le simple fait de collecter le loyer mobilise toute sa fierté. Elle se sent comme un banquier. Mais un banquier déjanté. Les trois fois où elle est allée chercher le chèque – un geste contre nature en ce qui la concerne –, elle a déposé un petit mot dans leur boîte à lettres, leur rappelant que « c'était le troisième jour du mois ». Comme elle trouve que laisser juste un mot fait huissier, pour que cela soit moins austère, la première fois elle a enroulé le mot autour d'un pied de céleri, le tout retenu par un morceau de raphia joliment bouclé. La deuxième fois, elle a utilisé un plant de basilic et la troisième, un énorme concombre cintré de ruban or. Par le « retour du concombre », les Chippendales avaient ajouté un *post-it* sur lequel ils avaient écrit : *« You are very charming... and very weird. »* Tout ça pour dire que : ils sont très heureux d'habiter le haut, que le boa est en pension pour l'été, et que les meubles « croisés » sur le perron étaient pour un de leurs amis fraîchement déménagé dont les finances sont « limitées ».

L'âne dit que la douleur ne dépasse pas la limite du cœur. Autrement dit : il faut cultiver la patience, parce que c'est un chemin en or… Encore un proverbe africain.

Chère Jo, lentement mais sûrement, mes plumes sont revenues. Le processus a été un peu trop long à mon goût mais il en a valu l'attente.

L'Autruche Céleste

3 septembre

Chère Jo Déjà Presque Plus En Vacances,

Comment vas-tu depuis hier soir, c'est-à-dire depuis le moment de la mort du petit chien Gremlin ? Comment va ton ami Claude depuis son départ ? Si tu savais à quel point l'annonce de cette mort « annoncée » m'a touchée. J'imagine très bien à quel point il doit se sentir triste (et coupable) d'avoir eu à prendre cette décision... Faire endormir son compagnon des dix dernières années en se demandant si la « non-qualité » de sa vie était plus tolérable que la délivrance de sa mort ?

Côté bonnes nouvelles, j'ai appris ce matin que l'auberge avait un besoin « urgent » d'investissement afin de refaire – au complet fondation incluse – le mur de briques qui donne sur la cuisine. Mur qui, à mes yeux d'Autruche, était un peu magané certes, mais loin d'être en phase terminale.

Surprise !

Sept mille dollars à trouver d'ici une semaine. C'est drôle, tu trouves pas ? Drôle, mais surtout rassurant parce que je ne suis absolument pas perturbée par la nouvelle. L'obligation d'effectuer des travaux aussi majeurs c'est thérapeutique. Au moins, des fondations et des briques c'est super concret et ça revient à peu près au même prix que différentes « contributions non volontaires fiscales » finançant qui, une prison privée cinq étoiles pour motards, qui, une virée en Toscane pour cadres afin qu'ils puissent voir comment se portent les vignes à la suite de la récente canicule, qui, une «étude de faisabilité» dont les résultats resteront sur une tablette. Je sais, je radote avec le gouvernement et c'est redondant.

Bonne fin de semaine!

Comtesse Qui Aimerait Bien Gagner Par Année Ce Que Coûte Par Mois Un Hell's En Frais D'Aide Juridique.

5 septembre

Chère Jo Voici Un Peu De Méli-Mélo...

«Boy! t'en a mangé toute une!

— Pardon?

— J'ai dit, t'en a mangé toute une!

— Une quoi?

— Ben, une volée!

— Une volée de quoi?

— Ben... une volée, quelque chose de difficile...

— ... Ah...»

Ces courtes phrases, chère amie, sont celles d'une voyante croisée alors que je me préparais à faire signer les contrats aux comédiens invités dans le cadre de l'émission. Cette dame, qui a été en mesure d'illustrer avec autant de «concision» les deux dernières années de la vie de Comtesse, faisait partie d'un groupe de quatre diseurs de bonne aventure, invités à «divertir les artistes» avant l'enregistrement. À l'unanimité, qu'il s'agisse de lecture dans une boule de cristal, de cartes ou de cailloux: après une période houleuse et sombre, le printemps s'annonce heureux amoureusement. Youpi! Apparemment, après plusieurs années de «non-disponibilité amoureuse volontaire», Comtesse aurait décidé de se réouvrir à l'état amoureux. Le pire, c'est que c'est vrai.

Une forme de protection. Que veux-tu, je n'arrive pas à réussir deux choses en même temps. Maintenant, la maman peut céder la place à la putain.

P.-S. : Chère Jo, je ne suis pas convaincue que faire du patin à roues alignées en synchro avec la physio soit l'idée du siècle... Mais visiblement, le plaisir procuré à l'ensemble de ses quarante-cinq kilos semble valoir le risque d'une hanche artificielle...

Re-P.-S. : Petite Claire vient de m'appeler. L'un de ses chiens est mort il y a une heure. Il est mort dans sa voiture en allant chez le vétérinaire. Elle était écroulée de chagrin. Décidément, c'est une véritable hécatombe canine depuis trois mois.

Je te laisse, le virus de l'ordinateur se manifeste. J'ai cinquante-quatre secondes pour enregistrer ces lignes.

Bye !

Comtesse

12 septembre

Salut !

Il est treize heures. J'arrive de la banque où je viens d'emprunter quatre mille dollars afin de réparer la brique côté jardin. Incroyable de voir à quel point, deux ans après les événements du 9/11 – qui ont en principe humanisé une partie privilégiée de la race humaine –, la dame au foyer en détresse se fait encore « fourrer à l'os » deux fois plutôt qu'une, lorsque l'auberge nécessite quelques rénovations (encore une fois urgentes). La bonne nouvelle, c'est qu'il y a tout de même des gens honnêtes. Trois évaluations ont été soumises à Comtesse Dorénavant À But Lucratif (avant, j'aurais engagé le premier entrepreneur disponible) et, des trois propositions, la plus intéressante rapport qualité/prix est venue d'une minientreprise dont le siège social (possédant une seule ligne téléphonique) est situé dans un rang pas trop loin de Montréal. J'ai tout de suite eu confiance. Pas de frime, pas d'estimateurs chromés à bord de pick-up flambant neufs (et trop propres) et pas de prix exorbitant. La moitié du prix des deux compétiteurs, et surtout, il a bien ri lorsque je lui ai parlé de « pépine » (et de clôture à enlever afin d'être en mesure de la faire entrer, *dixit* le premier évaluateur). Alors je l'ai engagé. Son vieux camion était lui aussi rassurant : tout cabossé, couvert d'égratignures et de poussière de ciment. On verra bien assez vite si j'ai pris la bonne décision.

Pendant que je t'écris, une araignée teste mes aspirations bouddhistes et Karma s'amuse comme une folle à faire claquer ses nouvelles dents.

Je te laisse, j'ai un rendez-vous téléphonique pour une pré-entrevue.

I. Doclin, recherchiste

15 septembre

Olé! Casse-Gueule Quinqua En Patins À Roues Alignées!

C'est totalement hâtif comme jugement, mais je suis convaincue que le monsieur qui s'occupe de réparer la brique est honnête.

J'aime le voir arracher la brique, gratter la vieille isolation pourrie, remplir les fissures, isoler de nouveau. L'observer rebâtir le mur me procure une sensation de paix, de sécurité. J'ai l'impression que c'est moi la maison. Plus on la solidifie, mieux je me porte.

Une autre allégorie.

J'ai enlevé la porte de la clôture «côté rue». Très symbolique aussi je trouve.

Bon, le virus de l'ordinateur vient d'annoncer qu'il ne restait que cinquante secondes avant de perdre les données.

À plusse,

#!!%$*??...!#)(&%5_!#0à6574=vc9o2&*()3...alinéadéclin.com?

21 septembre

Chère amie,

Il paraît que le «concombre messager» a fait pas mal rigoler le 2285, se retrouvant sur le lit d'un des Chippendales à qui l'un des colocs voulait jouer un tour et faire croire que la proprio avait des vues libidineuses à son égard. À la grosseur qu'avait le concombre, je comprends pourquoi il a rougi lorsque nous nous sommes croisés sur le perron deux jours plus tard... Je l'ai su hier soir seulement, alors que la victime de mes soi-disant vues XXX est venue me porter une carte d'anniversaire, profitant du moment pour me raconter à quel point ses copains l'avaient fait marcher. Nous avons pris un verre de vin à la santé de ma libido. Il m'a dit à quel point ils sont heureux d'habiter l'auberge et j'ai reçu en cadeau un petit moulin à vent pareil à ceux que l'on donne aux enfants. Sur la carte, «mes» Chippendales avaient écrit: «*Dear Iléana, life has been so perfect for the last few months. Thank you*». C'est mignon tu ne trouves pas?

Toujours au sujet de l'auberge, le boa est revenu et la «route des souris» a été condamnée par Monsieur Briques. Il y avait un trou gros comme une noix de coco dans les fondations, à côté duquel devait être affiché: «Auberge cinq étoiles pour souris, incluant deux chiens débiles qui font peur aux chats et qui ont peur des souris.» Donc en principe un problème de réglé.

J'ai passé la journée d'hier avec Petite Claire et ce qu'il reste de ses cent kilos de chiens, je veux parler de la mort de Caïman, chien d'origine anglophone reçu à l'âge d'un an et à qui, pendant sept ans, elle a continué de s'adresser en anglais (avec les deux autres, elle a toujours communiqué en français). Étant donné qu'il est mort d'une infection tropicale attrapée au cours de son séjour en République dominicaine, nous sommes allées faire tester les deux autres à une heure de route. Les chiens vont bien, ma mère aussi et c'est tout ce qui compte !

Les taches du plumage de la pintade ne s'effacent ni à l'eau ni au savon. Charmant proverbe africain nous rappelant que les liens de parenté sont immuables (je t'aime, maman !).

Je te laisse, Karma est en train de manger ma carte de guichet.

Comtesse Pintade

3 OCTOBRE

CHERE AMIE,

JE T'ECRIS EN MAJUSCULES D'UN NOUVEL ORDINATEUR QUI NE FONCTIONNE A PEU PRES PAS ET DONT LE CLAVIER EST ANGLOPHONE. DE PLUS, IL EST NEUF, A COUTE MILLE DOLLARS (PLUS LES FRAIS D'INSTALLATION, ET A CREDIT BIEN ENTENDU).

JE SUIS FURIEUSE!

IMPOSSIBLE DE TROUVER UN ACCENT OU UNE CEDILLE. IMPOSSIBLE DE CONTROLER QUOI QUE CE SOIT, ON DIRAIT QU'IL A SON PROPRE CERVEAU (ANGLOPHONE). ALORS, COTE ORTHOGRAPHE, PARDONNE CE LAISSER-ALLER.

JE SUIS UN BRIN DEPRIMEE DEPUIS QUARANTE-HUIT HEURES. EVIDEMMENT, j'AI MIS ÇA SUR LE COMPTE D'UN RETOUR IMMINENT DE LA DEPRESSION. PUIS, AVANT DE M'EN CONVAINCRE, J'AI REFLECHI CINQ MINUTES (SOUS INFLUENCE), ME RAPPELANT QU'IL POUVAIT PEUT-ETRE Y AVOIR QUELQUES «CAUSES A EFFETS» JUSTIFIANT CETTE SOUDAINE BAISSE DE MORAL ET/OU AUGMENTATION DE DECOURAGEMENT...

ALORS, DANS L'ORDRE OU DANS LE DESORDRE:

LA MATINEE A DEBUTE PAR LE DEPOT D'UN «OS DE CHIEN MESSAGER» DANS LA BOITE A LETTRES DES CHIPPENDALES, LEUR RAPPELANT QUE LE CHEQUE DE LOYER SERAIT APPRECIE (LA SAISON DES CUCURBITACEES ACHEVANT, IL

FALLAIT BIEN QUE JE TROUVE UNE IDEE A LA HAUTEUR DU CONCOMBRE). JE COMMENCE A CROIRE QU'AU LIEU DE VENIR PORTER UN CHEQUE LE PREMIER, ILS ATTENDENT DES NOUVELLES DE LA PROPRIO, HISTOIRE DE VOIR QUELLE FORME PRENDRA LA PROCHAINE MISSIVE. ENSUITE, J'AI ETE VICTIME D'UN ARRET CARDIAQUE EN ENTENDANT LE CRI STRIDENT DU SYSTEME D'ALARME D'UNE VOITURE QUI AVAIT LE MALHEUR D'ETRE, NON SEULEMENT NOIRE, MAIS EGALEMENT STATIONNEE A PROXIMITE DE LA MIENNE. COMPLETEMENT DANS LA LUNE ET PREOCCUPEE PAR LA FIN IMMINENTE DE MON CONTRAT (OU PLUTOT DU PROCHAIN, ACTUELLEMENT DE SOURCE INCONNUE), JE ME SUIS ACHARNEE SUR LA SERRURE D'UNE VOITURE NE M'APPARTENANT PAS ET DE MARQUE LEXUS DE SURCROIT, LAQUELLE, ASSURANCES OBLIGENT A NOTRE-DAME-DU-FAR-WEST, ETAIT DOTEE D'UN SYSTEME D'ALARME HYPER-SENSIBLE. APRES QUELQUES COUPS DE CLEF TROP AGRESSIFS, LA LEXUS A AMEUTE LE QUARTIER. QUANT A MA VOITURE, ELLE ETAIT STATIONNEE TROIS ESPACES PLUS AU NORD.

JE TE LAISSE, POUSSINE VIENT D'ARRIVER POUR FAIRE DE CET ORDI IRRIRANT ANGLOPHONE, UN ORDI RELATIVEMENT FRANCOPHONE.

Tu vois, ça n'a pas été long! En dix minutes Miss Web a tout arrangé, et ce, après qu'un jeune homme soi-disant très calé en informatique eut tenté de le configurer sans succès.

Ce matin donc, après avoir réveillé un propriétaire de Lexus, je me suis rendue au bureau pour faire illico demi-tour, me servant de ce moyen de pression dans l'espoir que l'on règle une fois pour toutes un problème de boîte vocale «chronique» qui affecte mon poste téléphonique. Une recherchiste sans boîte vocale, ça ne fait pas très sérieux. Retour à la maison : Karma a fait pipi sur moi quand je lui ai dit bonjour, puis, surprise de trouver une lettre du ministère du Revenu (celui avec une feuille d'érable) me réclamant une somme de huit mille cinq cent cinquante-quatre dollars relative à la déclaration de revenus de 2001. J'ai appelé la personne en charge du dossier pour lui signifier que, de 2001 jusqu'à une partie de l'année 2003, une belle grosse dépression s'était abattue sur la contribuable, la rendant non fonctionnelle et, ce faisant, en perte d'une certaine faculté de jugement la rendant légalement non responsable de ses actes. Puis, en mettant les chiens dehors, j'ai trouvé un énorme pigeon mort devant la porte-fenêtre. Encore personne à l'auberge pour le ramasser. En me lavant soigneusement les mains après l'avoir mis aux ordures, j'ai constaté qu'un bouton naissant avait choisi de bourgeonner sur mon nez. Voulant y voir de plus près avec le miroir grossissant, je l'ai échappé et il s'est bien entendu brisé. Sept ans de malheur (peut-être quatorze ans de malheur étant donné qu'il était grossissant) ! Découragée, je suis allée m'écraser sur mon lit afin de pleurer un bon coup et, en voulant m'abandonner à la douceur de mes oreillers, je me suis assommée sur l'os des chiens.

Alors, d'après toi, est-ce que je suis simplement déprimée par ces différentes sources de stress ou est-ce un retour imminent chez les zombies ?

L'Autruche Inquiète

8 octobre

chere-www-jobrou.com,

Il y a quelques jours, lorsque je suis allée acheter le nouvel ordinateur accompagnée d'un ami de Fils qui agissait comme consultant, nous avons traversé à peu près tous les chantiers routiers du grand Montréal. Étant donné que nous avons fait beaucoup de voiture, ce vase clos a été propice à de belles discussions sur la vie, l'amour, le travail, la dope et la famille. Sam, de confession juive, celui-là même à qui j'avais cuisiné du porc à la crème il y a quelques années en lui disant de faire comme si c'était du poulet, fait partie des fidèles amis de Don Tout À Bois depuis maintenant dix ans. Ensemble, ils ont fait pas mal de conneries, convaincus à l'époque merveilleuse de leur adolescence que j'étais trop déconnectée de la réalité pour m'en rendre compte. Ce qui bien entendu n'était pas le cas. Observer discrètement les jeunes mutants qui fréquentaient l'auberge et ne pas trop me mêler de leurs dérapages occasionnels m'aura permis de faire ce que j'appelle de la « délinquance contrôlée ». Précisons que Comtesse Mère ayant elle-même, à l'adolescence, commis quelques écarts de conduite à l'aide de prétextes fallacieux lui permettant de fuir une éducation trop sévère, elle était en mesure de rectifier le tir chez Miss Vinaigre, Don Bourgeon & Cie.

Pendant que je conduisais, Sam m'a dit : « Tu as vraiment bien élevé tes enfants. Ils sont chanceux de t'avoir comme mère. Je t'aime vraiment beaucoup tu sais.

— ...»

Beau moment.

Maintenant un peu de faits divers qui ont titillé ma confiance déjà vacillante envers l'avenir de la planète... À CNN, splendides images du pèlerinage de Whitney Houston à La Mecque, cellulaire bien branché à l'oreille, gardes du corps et caméra du monde entier devenant les témoins privilégiés de sa pieuté. Ensuite, toujours à CNN, un reportage expliquait comment être infidèle de façon «intelligente et efficace» lorsqu'on possède un téléphone cellulaire. Quant à Arnold, il sera probablement le prochain président des États-Unis, tout de même une amélioration notable par rapport à Bush. Pendant ce temps, chez nous, nos grands journalistes se jettent sur le-ministre-de-la-Justice-dont-la-fille-majeure-danse-toute-nue-dans-des-bars, avec autant de discernement et d'éthique que s'il s'agissait de Mata Hari, sans oublier la couverture en direct du meurtre d'une vache et d'un veau. Autre pays autres préoccupations. Tout ça m'a tellement levé le cœur que je suis allée faire des crêpes. Il y en a donc une douzaine pour toi. Tes Bisons Des Prairies sont friands de crêpes jambon fromage je crois ?

Après, histoire d'explorer de nouvelles avenues, j'ai teint un couvre-pieds avec du cari, du paprika et du cayenne. À part le fait que la maison embaume l'Inde de Lachine à Westmount, la couleur est plutôt intéressante.

Prochaine activité : mettre mon C.V. à jour, la fin de mon actuel contrat arrivant à grands pas.

Bye !

Comtesse Plus Heureuse Devant Un Chaudron Que Derrière Un Patron

9 octobre

« Je ne t'aime plus.

— ... »

Cette phrase, chère Jo, je me la faisais servir par le père de mes enfants, il y a précisément vingt ans, alors que les Oisillons avaient respectivement quatre ans et un an, à cent kilomètres de Montréal dans une maison qui instantanément devenait aussi froide et humide qu'un caveau. Ce matin dans *La Presse* il y avait un long article sur la séparation et la dévastation jamais équitable qui en résulte. Te dire le retour dans le temps que cet article a causé chez Comtesse. Un retour dans le temps dont le souvenir, au lieu de me rendre tristounette, m'a plutôt apporté un sentiment de paix et de force tranquille, mesurant tout le chemin parcouru par la nouvelle Chef De Meute, alors brisée du cœur et de surcroît cocue.

Vingt ans plus tard (tiens, un autre anniversaire à célébrer ?), je remercie la vie de m'avoir imposé ce changement – non délibéré – de parcours. À plusieurs égards, il aura été un cadeau. Oui oui, un cadeau. Entre autres parce que je n'ai pas eu à porter la culpabilité de cet échec. Mon mari en aimait une autre. J'étais « la » victime. Par instinct de survie, et surtout parce que j'ai horreur justement de jouer le rôle de la victime, ma nouvelle vie de jeune mère solo, de par la révolte qu'elle a réveillée en moi, m'a également sauvée. C'était clair, net et précis. Je n'étais plus aimée et, comme pour la mort, il n'y a strictement rien à faire à part attendre que la douleur de l'absence s'étiole. Elle s'est étiolée de force (et assez rapidement merci) par l'obligation de protéger les Oisillons en les mettant le plus possible à l'abri d'un déchirement trop dévastateur.

J'étais dorénavant une maman en mission. La plus belle mission et probablement la seule dont j'aurai vu les résultats avant de mourir. C'est très présomptueux comme affirmation, mais c'est vrai.

Étant donné que la culpabilité ne fait pas partie de mes névroses (à part quelques soubresauts ici et là), au cours des vingt années qui ont suivi, les Oisillons et moi avons grandi à l'unisson, apprenant à nous élever mutuellement au même rythme. L'avantage? J'étais moi-même encore une petite fille mal aimée.

Un enfant ne te dira jamais: «Je ne t'aime plus.» Un chien non plus...

Je comprends de plus en plus de choses sur moi en écrivant ces pages (on va me taxer de narcissisme); l'exercice est beaucoup plus économique qu'une thérapie, et qui sait, certains s'y reconnaîtront peut-être.

Je te laisse, j'ai un dossier de recherche à terminer.

L'Autruche Montagnes Russes

10 octobre

Chère Jo,

J'avais oublié de te raconter ça. Il y a un mois, à mon grand étonnement, j'ai reçu l'appel d'un gars plus jeune que moi, à qui je m'étais littéralement offerte sur un plateau d'argent il y a huit ans. Mon karma étant «ce qu'il était» à l'époque, l'objet de mes désirs avait décliné ledit plateau à la faveur d'une femme plus jeune de dix ans (encore!), nettement plus pétarde et sans enfants. Tu vois comme la vie est imprévisible. Ce gars dont j'ai désiré très fort le corps aimait mon âme, mais pas forcément mon cul. Il m'appelait huit ans plus tard, après avoir vécu une union, un bébé, une désunion, une garde partagée et probablement un désarroi post tout ça, qui lui avait donné le goût de revoir cette bonne vieille Iléana. Il m'invitait à l'accompagner à l'une des réceptions les plus courues de l'année. J'ai dit non. Très gentiment, je tiens à le préciser.

Imagines-tu Comtesse, véritable icône de la mode griffée «Village des Valeurs», faire la coquette dans une réception réunissant en un seul lieu tout ce qui l'horripile: des «ma beauté» par-ci, par-là, des accolades aussi sincères que celles entre Blair et Chirac, et des poignées de mains molles données sans l'ombre d'un regard. Bref, de quoi replonger illico en dépression.

Il aimerait bien que je le rappelle pour «remettre ça».

...

Mais je ne l'aime plus.

Décidément, l'amour est une question de *timing*.

Mais suis-je encore capable d'être amoureuse ?

Je souhaite tellement que la réponse soit oui.

Sur ce, je vais aller faire une tarte.

Comtesse Au Cœur Gelé

11 octobre

Chère amie,

Il est vingt heures samedi. Cet après-midi, Fils est parti passer la soirée chez Poussine en compagnie du bébé de son amoureuse, de Kadhafi-e et de Karma, sans oublier le sac à couches et les biberons. Si c'est calme à l'auberge ? Surréaliste. L'homme de la maison en avait donc plein les bras pendant que sa blonde travaillait de soir. Je trouve que pour un gars de vingt ans, il est plutôt accommodant. C'est quand même particulier que mes deux Oisillons soient en couple, chacun avec un jeune parent.

Miss Miel avait dix-neuf ans au moment de sa rencontre avec ce tout jeune papa et sa fille d'un an et demi. Plein d'images défilent pendant que je t'écris. Je la vois dans la cuisine en train de plancher sur un examen d'anthropologie, concentrée de toutes ses forces sur les milliards d'années à réviser pendant que la petite lui tresse les cheveux. Kadhafi-e déguisée en baboushka au milieu des poupées, admirable de patience… ou encore Don Publisac en train de troquer des vêtements contre « blocs de gardiennage », complètement paniqué devant sa première couche à changer…

Je suis si fière de ma marmaille.

Tout ça pour te dire que c'est super calme en ce moment. Trop calme. Je vais donc profiter de cette « anormalité » et écrire au ministère du Revenu afin de les aviser que les huit mille cinq cent cinquante-quatre dollars qui leur sont dus devraient m'être crédités en remerciement de bonne conduite sociale ou, en termes d'actuaire, pour investissement parental statistiquement payant à long terme pour la société.

Il est permis de rêver!

La *Mama*

Rechute ?

Quand un arbre tombe,
on l'entend.
Quand la forêt pousse,
pas un bruit...

Proverbe du Bénin

Mi-octobre

Chère Précieuse Amie,

Voici le genre de trucs que je t'écris lorsque je suis en crise existentielle transylvanienne et/ou je suis convaincue d'être en rechute. Des radotages jamais envoyés, parce que trop définis par l'état hormonal du moment, lequel ne fait qu'attiser mes cellules « hypersensibles », *dixit* le médecin spécialisé en problèmes mentaux de tout acabit. Alors, dans ce temps-là, je préfère fumer un gros pétard et être trop gelée pour m'appesantir davantage sur Et-moi-et-moi. Voici un exemple de désarroi « à chaud », retrouvé dans le dossier « impôt », récemment réactivé par l'intérêt du ministère du Revenu à l'égard de mon administration déficiente.

Je suis complètement tétanisée de peur depuis trop de jours, ce qui laisse à penser que ce tangage vers le bas est peut-être un signe précurseur d'un retour chez les zombies. Actuellement, la simple évocation du mot « avenir » (avec tout ce qu'il comporte de catégories) me glace d'effroi. Jo ! je suis immobilisée comme un animal traqué sachant que s'il fait une seul mouvement, il va se faire bouffer. En même temps, il doit réfléchir à la situation avec « circonspection ». Alors il est doublement paralysé d'effroi par son incapacité à agir.

Il en perd même quelques onces de gras...

Décidément... ma phrase fétiche et salvatrice : « Plus on attend, plus c'est bon », arrive à expiration.

Je viens de repasser à travers *L'Autruche Céleste*. Est-ce bien de la même personne qu'il est question dans ces deux livres ? On est loin en titi du «je suis un animal qui attend sa saillie» de l'édition 2000 !

Quelle naïveté que de se penser enfin détachée de toute noirceur, croire dur comme le béton ne pas être génétiquement programmée pour le drame. Et pourtant... à mon corps défendant, je suis baignée d'un sang plus transylvanien que nord-américain... Avoir cru presque du jour au lendemain, après un saut en chute libre hautement symbolique, que côté avenir mon inconscience salvatrice avait réussi à étouffer la prédominance de mes gènes paternels. Ou plutôt à les rendre mutants. Je le croyais vraiment. Sincèrement.

À quel âge est-ce qu'on cesse d'être naïf ?

Peut-être qu'à l'instar d'une lobotomie, une dépression devient un état chronique, toujours présent en filigrane. Plus rien ne sera jamais comme avant. Pas complètement en tout cas.

Vraiment, sincèrement, je radote.

Peut-être deux, trois limbes encore à traverser? Tu sais à quel point je compte mal.

Ce matin, visite chez le vétérinaire avec cette bonne vieille Kadhafi-e frappée de boiterie depuis hier. Le médecin a semblé dire que rien ne l'inquiétait, probablement un muscle froissé. Il a tenu à ajouter que sa dentition était superbe pour son âge (neuf années de guenilles, c'est excellent contre le tartre) mais qu'une perte de poids serait salutaire. En sortant, j'avais une contravention : cent dollars flambés en même pas trente minutes.

Vraiment. Sincèrement chiant.

Côté plus léger, depuis qu'une dégauchisseuse, une raboteuse, une scie à onglets et une toupie habitent à l'auberge, le sous-sol, affligé d'humidité chronique, est contrôlé minutieusement aux huit heures par Fils Ébéniste. Pendant treize ans, le déshumidificateur acheté à cet escient a débordé cent fois, n'ayant visiblement jamais suscité d'intérêt chez la marmaille. Le facteur humidité est devenu de la plus haute importance pour que la machinerie de notre artisan soit entretenue ; « cinquante-cinq pour cent », le même taux que celui de *Celine* dans sa maison à *Vegas*. De plus, Fils a utilisé notre huile d'olive première pression pour dorloter ses outils. Je suis pas certaine que ce soit l'idée du siècle, mais le simple bonheur de le voir passionné par son nouveau métier vaudrait un pot de crème antirides.

Je te laisse, Karma est en train de jouer à la pétanque avec son os dans le couloir et ça énerve Kadhafi-e.

À plusse !

Comtesse Latino Slave

11 novembre

Chère Jo *Cue Sheet*,

Tu vois, tu te retrouves dans le jus par-dessus la tête au boulot, et au 2283, première journée de dame au foyer pour Et-moi-et-moi. Je suis vraiment contente de cet entre deux contrats, mais en même temps, maintenant que j'ai du temps pour aller prendre une bouchée le midi avec des amis ou magasiner des petites gâteries, j'ai plus de sous. Décidément, c'est l'histoire de ma vie ! Alors pour changer le mal de place je suis allée ramasser les feuilles et j'ai utilisé pour la première fois le four autonettoyant. Pas sûre que ça soit très économique. Deux heures à pleine puissance, j'ai hâte de voir la note de gaz du mois prochain.

C'est excitant non ?

J'ai reçu hier soir l'appel d'un certain Mister Page, un monsieur anglophone très âgé parlant un français châtié. Il cherchait désespérément à entrer en contact avec feu le paternel. Ça fait toujours bizarre d'annoncer qu'il est mort depuis cinq ans. Cet appel m'a troublée en ce sens que le monsieur en question était à la recherche de photos de Carmen Amaya, une danseuse gitane, morte en 1963. Carmen Amaya était une véritable légende du flamenco avec laquelle mon père avait travaillé dans les années cinquante. Je me souviens d'une très belle photo d'eux qui trônait sur le bureau du paternel. Petite, j'étais convaincue qu'elle était princesse. Ce qui m'impressionnait le plus, c'était le fait qu'elle soit morte. Comment une aussi belle princesse pouvait-elle être morte ? Pour me rafraîchir la mémoire, je suis allée dans Internet et j'ai vu que ça fera quarante ans le 19 novembre 2003 qu'elle a quitté cette planète. Mister Page travaillait sur un événement anniversaire.

Et où elles sont ces photos tu penses ? Aux archives de Radio-Canada, donc inaccessibles à nous, sa propre famille. Quant aux meubles et autres articles retraçant notre vie pas ordinaire, ils sont disséminés le long de la route 117 chez divers brocanteurs. Un jour, invitée à une émission à laquelle je travaillais, Michèle Richard m'a apporté un chèque en blanc appartenant au paternel. Elle l'avait trouvé dans un livre acheté dans l'une de ces brocantes. Pauvre lui, il doit vraiment se retourner dans son urne. J'ai récemment appris que ses deux maisons au bord de la rivière du Nord ont été vendues et que l'une d'elles était devenue une boulangerie pour touristes aisés. Un merci tout spécial à notre (très brièvement) « jeune » belle-mère, pour la célérité lucrative avec laquelle elle a clos le dossier « patrimoine familial ».

Tout ça pour te dire que cet appel téléphonique venu du passé est allé réveiller quelques fibres roumaines que je m'efforce de nier depuis que je suis en âge de penser... C'est affreux ce que je vais te dire, mais déjà à cinq ou six ans j'aurais tout donné pour m'appeler Isabelle ou Sophie Bergeron plutôt qu'Iléana Doclin. J'aurais tout donné pour que mon père n'ait pas cet extraordinaire accent (pas encore « dans les normes » au début des années soixante), ni ses cheveux noirs soigneusement gominés au Brylcreem, ni ce collier de barbe taillé (amoureusement), qui le faisaient ressembler à un personnage de *Nosferatu le vampire*. J'aurais tout donné pour qu'il soit comme les autres papas. Je trouvais aussi que les Roumains que nous fréquentions parlaient trop fort, s'engueulaient sans arrêt, buvaient trop de vodka et mangeaient trop d'ail. De plus, je ne comprenais pas cette langue. Le paternel, qui pourtant tenait tant à ce que sa descendance soit baignée de sa culture, n'a jamais trouvé cinq minutes pour la lui communiquer. Bref, les gènes roumains de Petite Comtesse subissaient un rejet majeur.

Du côté maternel «cent pour cent pure laine», si quelqu'un était malheureux, ça ne paraissait jamais.

Mon premier attachement atavique envers le pays qui compte pour la moitié de mes origines, c'est à l'âge de vingt ans que je l'ai connu, au cours de la virée «Paris-Londres-Belgique-Allemagne-Autriche-Hongrie-Roumanie/retour Yougoslavie-Italie-Suisse-France-en-quinze-jours», alors qu'à bord d'une rutilante Renault dépouillée de ses enjoliveurs et essuie-glaces aux environs de la Hongrie, Petite Claire, Sœur Aînée et moi, nous rendions en Roumanie assister à l'union de Sœur Aînée et d'un Roumain qui voulait «se tailler» du Rideau de fer. Arrivées de nuit dans un village, à notre grande surprise, des dizaines de personnes faisaient la file devant un magasin. Ces gens attendaient afin de recevoir leur kilo de viande mensuel. C'était sous Ceaucescu. Une fois à Bucarest, avec notre plaque immatriculée à Paris, nos passeports canadiens (aux noms on ne peut plus roumains), la paranoïa dans laquelle vivaient les citoyens sous la Securitate était encore pire que ce que l'on pensait : interdit aux Roumains d'entrer en relation avec des étrangers, pas le droit d'être à bord de la même voiture qu'eux, interdit également de mettre les pieds dans les restaurants et boutiques pour touristes, c'est-à-dire dont les transactions se faisaient uniquement en devises américaines et fréquentés par les seuls membres haut placés du gouvernement. Sur le marché noir, les dollars américains valaient le double. Bien sûr, la population voulait de l'argent américain afin de pouvoir se procurer du savon, des aspirines ou de la pâte dentifrice. Ces boutiques « pour touristes » vendaient leurs produits à des prix exorbitants. J'étais scandalisée.

Si tu savais le nombre de fois où, du regard, Sœur Aînée et Petite Claire m'ont intimé l'ordre de me taire et de ne pas faire de vagues ! Tout au long de ce voyage épique pour les trois voyageuses, tour à tour chargées du volant, j'avais réussi à être la personne la plus désagréable de toute l'Europe de l'Est. Une Comtesse cent pour cent Vinaigre.

Me prenant pour une petite rebelle, j'ai fait une connerie énorme. Vingt-sept ans plus tard, c'est en te la racontant que je mesure la gravité des conséquences si j'avais été arrêtée. Dieu que j'ai été stupide de fronder ainsi dans Bucarest, où à chaque coin de rue étaient postés des militaires armés passant leurs journées à scruter le moindre signe de désobéissance. Comme j'étais sotte et révoltée (imagine, les deux en même temps !) par ce système, j'avais décidé de le défier et j'étais sortie un soir avec le fiancé de Sœur Aînée, pour aller changer de l'argent américain en leï sur le marché noir (tu vois, il était encore plus con que moi). Dans un pays sous dictature où les familles s'épiaient entre elles, agir de la sorte était aussi dangereux que de traverser un champ de mines.

Avec les sous additionnels, j'avais acheté une superbe chemise roumaine, brodée à la main, une pièce que je n'aurais pas pu avoir au taux de change pour touristes. Au moins, c'est une paysanne roumaine qui a eu l'argent « délinquant », pas le système communiste.

J'avais réussi à fourrer Ceaucescu.

Bravo !

Je te laisse, j'entends un drôle de bruit au sous-sol.

L'Ex-Écervelée

12 novembre

Yo,

Sur quelque arbre que ton père soit monté, si tu ne peux y grimper, mets au moins la main sur le tronc. Ça vient du Mali.

Proverbes africains et racines roumaines, l'équation ne saute pas aux yeux. De toute façon, dans cent ans la planète, ou plutôt ce qu'il en restera, sera entièrement métissée. L'homme-avec-un-petit-h aura réussi en moins d'un siècle à créer une toute nouvelle race d'humains, après s'être pris pour Dieu. Alors, d'ici là, il faut que je cerne mon identité.

Parlant d'identité, je constate que Fils, depuis que son cœur appartient à l'ébénisterie, a perdu quelques notions d'ordre ménager. Lui qui jadis faisait les plus belles épiceries du monde, évaluant toujours le meilleur rapport qualité/prix, bien qu'équipé d'une liste détaillée, est revenu hier avec du porc au lieu du bœuf (une fesse de jambon de huit kilos) et un minipoulet de Cornouailles qui au plus, servi avec plein de légumes, nourrira une seule personne pas trop affamée.

La vue de ce minipoulet m'a ramenée en Roumanie. Décidément, les valves de mon sang transylvanien sont ouvertes. Je ne t'ai parlé que du côté «tendu» de ce voyage, qui pourtant a connu des moments de pure grâce: des paysages pareils à ceux des livres de contes et, par moments, carrément un voyage dans le temps dans certains villages où les paysans semblaient encore figés au XVIe siècle. Sur les routes nationales, tu pouvais croiser des oies ou un âne tirant une charrette sur laquelle trônait fièrement une vieille femme habillée de vêtements brodés. Un jour, alors que nous nous rendions au bord de la mer Noire, la voiture a dû s'arrêter pour laisser passer un cortège funèbre. Je crois que je n'ai jamais vu autant de couleurs enjoliver la mort. Les villageois s'étaient réunis pour porter une des leurs au cimetière de l'autre côté de la route. La défunte était dans un cercueil sans couvercle, habillée de vêtements traditionnels. Des petites fleurs des champs avaient été déposées tout autour de son corps. La tombe était portée à bout de bras afin que tous puissent la voir une dernière fois. Le cimetière, minuscule, était lui aussi multicolore. La plupart des tombes étaient surmontées d'une croix de bois. Sur chacune d'elles, le métier que faisait le défunt se retrouvait sculpté et peint tout naïvement. Presque joyeusement.

J'avais vingt ans et je n'avais jamais vu une personne morte, traumatisée depuis que j'en avais cinq, après avoir vu à la télé un film où un mort était exposé dans un salon. Dès ce jour, l'iconographie funèbre a gravé une terreur presque maladive dans mon cerveau. Ce n'est d'ailleurs qu'à quarante-quatre ans, en accompagnant Dodo jusqu'à son décès, que j'ai été en mesure de surmonter cette panique, déclenchée à la seule vue d'un corbillard. Mais ce jour-là, quelque part en Moldavie, je n'avais pas eu peur. J'étais le témoin d'adieux qui semblaient presque festifs. La mort prenait les plus belles couleurs de la vie.

Au cours de ce voyage, la jeune bourgeoise rebelle (qui avait tout de même payé son voyage en servant des crêpes) a également appris ce qu'était le sens de la fête. Des fêtes organisées avec rien. Les Roumains n'avaient rien à part un dictateur fou, mais lorsqu'ils recevaient, une noblesse et une générosité intrinsèques prenaient le dessus. Ils n'avaient rien mais tuaient «la» poule élevée au sous-sol pour l'offrir aux invités. Le sens de l'hospitalité. Combien de fois le paternel nous avait cassé les oreilles avec sa sacrée hospitalité. Tu vois, c'est chez des gens à qui pourtant le régime communiste avait tout enlevé que j'ai eu ma plus belle leçon de générosité.

Finalement, après avoir remué ciel et terre, Sœur Aînée a épousé son Roumain pour le faire sortir du pays et, une fois qu'il a eu le petit orteil à l'extérieur du Rideau de fer, il a dit *«Ciao bella!»* à sa nouvelle épouse, puis s'est tiré en France rejoindre sa sœur qui y vivait depuis dix ans. Celle-ci, ballerine à Bucarest, avait fui le pays lors d'une tournée.

Tout ça pour dire que mes fibres transylvaniennes se sont réveillées, à coups d'eau-de-vie de prune, de choux farcis et de morts colorés croisés sur la route. C'est là aussi que j'ai réalisé que le paternel n'avait plus de pays; ce pays qui était son âme, il avait dû l'abandonner pour des raisons politiques et ne l'avait jamais revu avant d'y retourner en cendres.

Avant de te laisser, histoire de faire un retour sur l'importance de la loi de l'hospitalité roumaine, je vais te raconter un épisode dont Petite Claire et moi rions aujourd'hui, et qui illustre avec éloquence le sens de l'hospitalité de feu mon père.

Il y avait une tradition annuelle chez les Doclin: un méchoui à la campagne auquel étaient invitées une soixantaine de personnes, dont beaucoup de collègues de la télévision. C'était toujours en juin et c'était toujours une énorme bamboula. Le dernier méchoui traditionnel a eu lieu en 1974. J'avais dix-huit ans. Mon père avait trois maisons, dont une avec sept chambres à coucher, qui servait à recevoir les invités trop pompettes pour reprendre la route. Et je peux te dire que de l'alcool, il y en avait. L'organisation de cette bamboula mettait toute la famille à contribution à partir de quatorze heures. Un trou dans le sol avait été creusé afin que la cuisson se fasse typiquement comme en Afrique du Nord. Chacun notre tour, nous étions chargés de faire tourner les deux agneaux au-dessus de la braise. Bien entendu, il n'y avait pas de moteur pour faire ce travail de rotation. Le paternel prenait les agneaux en main vers seize heures. En plein soleil, quelques vodkas bien tassées pour rendre la tâche plus agréable, il arrosait amoureusement les bêtes. Tu peux imaginer qu'à dix-huit heures, lorsque les invités commençaient à arriver, l'hôte était déjà passablement rond, et c'était toujours quand il était dans cet état que ses sentiments de réfugié écorché émergeaient. Il devenait hyper émotif, oscillant entre la fierté d'avoir réussi à se faire une nouvelle vie au Canada et la tristesse slave de n'avoir plus de pays. Vers vingt-trois heures, je lui avais annoncé devoir prendre la route pour Montréal parce que je travaillais le lendemain matin à la crêperie. Et là… il avait pété les plombs, hurlant que j'étais une ingrate, que le sens de la famille était inexistant chez moi et que tout ce qu'il avait fait pour nous n'avait aucune valeur. Comme il était très imbibé, pas moyen de lui faire comprendre que c'était par obligation que je devais partir. Quel souvenir! Hors de lui, il décide alors de foutre le feu à la maison… Certains invités étaient déjà couchés. Il se met aussitôt à la recherche d'un bidon d'essence. Je cours voir ma mère pour lui dire que son mari va faire flamber la maison. Panique. Frérot, qui à l'époque avait seize ans mais était déjà plus fort que son père, n'était pas là. Il travaillait dans un restaurant pas trop loin. Petite Claire, qui cherchait désespérément une façon de calmer la furie de son mari, lui avait téléphoné, l'implorant d'arriver le plus rapidement possible afin – s'il le fallait – d'attacher notre père de force. Frérot ne pouvait être là avant une demi-heure. Maman et moi étions prises avec un sérieux problème. Heureusement, le paternel en crise n'était plus avec les invités, mais dans le garage, toujours à le recherche du bidon d'essence. Petite Claire m'avait demandé de trouver un bâton pour l'assommer. Trouver un bâton pour assommer son père… c'était toute une mission ! Habituée aux éclats de son mari, ma mère ne voulait pas appeler la police. Le paternel, toujours fou furieux, avait finalement trouvé l'essence. En sortant du garage, il s'était dirigé vers la maison des invités. Ne sachant plus quoi faire pour éviter le drame, maman lui avait dit : « Et le sens de l'hospitalité roumaine, qu'en fais-tu ? » Et là, instantanément, réalisant le geste qu'il allait faire, tout piteux, il avait déposé son « arme » puis était allé se coucher.

C'était le dernier méchoui Doclin.

Sur ce, je crois que je vais aller cuisiner une potée pleine d'ail et de crème sure.

Comtesse En Recherche D'Identité

17 novembre

Chère Amie Que Je N'Ai Pas Vue Depuis Un Mois,

Chaque fois que j'ouvre l'armoire sous l'évier de la cuisine, ma première pensée : vais-je croiser une souris ?

Est-ce que c'est ça le nivellement par le bas ?

Première journée où j'ai l'identité en « vacances de recherchiste ». Étant donné ma nature indisciplinée, je vais tenter de la mater en me prenant pour un écrivain à temps plein, c'est-à-dire inquiet devant sa page blanche, assis dès neuf heures devant l'écran à chercher l'inspiration jusqu'à dix-sept heures tapant.

Bien entendu, ce n'est pas ce qui va se produire. Comtesse va plutôt beaucoup errer dans sa tête, trouver une urgence ménagère (normalement non urgente), démarrer une brassée de lavage, écouter très fort *Midnight Oil*, faire deux à trois dizaines de bonds sur le petit trampoline appartenant à Fils, histoire de travailler à la fois « cardio et suif », et puis, va attendre bien tranquillement qu'un écureuil grassouillet vienne la narguer en éventrant les sacs à ordures. Elle a aussi les « dreads » de Karma à tailler. De plus, elle cherche désespérément un tournevis plat pour réparer la porte de la sécheuse. Cette année, deux jeux complets de six tournevis ont été achetés. Il n'en reste que quatre. Et les quatre mèches sont carrées. C'est comme les chaussettes finalement.

J'arrive du garage où j'ai laissé la voiture afin de faire poser les pneus d'hiver, pour une fois, avant la fin de celui-ci. En cette première journée de grève de la STM, en route pour ce rendez-vous, j'ai véhiculé trois inconnus visiblement pas au courant des heures de service pendant le conflit, jusqu'au centre-ville. Au retour, à trois maisons de la nôtre, une très vieille dame faisait les bacs à recyclage afin d'y trouver des bouteilles à échanger. Ça m'a brisé le cœur de voir qu'à cet âge, son existence était plus proche de la survie que de la vie elle-même. Je lui ai donné vingt dollars en lui disant que je venais de gagner une petite somme à la loterie. Son sourire était vraiment triste ! Et... pendant ce temps-là, les divas de la STM se plaignent, le ventre bien plein, de leurs misérables conditions de vie.

La conscience sociale est décidément un leurre.

Après, détour au dépanneur voisin pour des cigarettes. Cette minientreprise appartient depuis douze ans à un couple polonais (elle) et iranien (lui). Tous les quatre ans, l'épouse fait un bébé.

« Fermé le dimanche. » C'était la première fois qu'une pancarte indiquait une journée de congé. J'étais heureuse pour elle, me disant qu'elle pourrait enfin vivre vingt-quatre heures en dehors d'un milieu de vie pas des plus agréables ni gratifiants. Un vieux dépanneur jamais lifté en trente ans. C'est gris, les murs crient toute leur tristesse d'être aussi défraîchis. Ce couple, qui ne parle toujours pas un mot de français, passe quatorze heures par jour enfermé, les enfants jouant autour des présentoirs, pratiquant chacun, depuis l'âge de deux ans, l'art de poinçonner une caisse enregistreuse. Du vrai sang de commerçants dans les veines. L'époux, travailleur acharné, roule à bord d'un rutilant et énorme 4 x 4. J'en ai jamais vu un si gros. Autant leur petit commerce fait misérable, autant le véhicule brille d'un éclat franchement parvenu. Tout ça pour te dire que j'ai demandé à l'épouse ce qu'elle comptait faire de ce temps précieux, inconnu pour le couple depuis plus d'une décennie :

« We arrre going to wash carrrs. »

Figure-toi que je n'ai pas su quoi répondre.

Cette femme était médecin en Pologne. Jamais je n'ai vu un sourire dans ses yeux.

J'ai reçu, comme tous les résidents de la rue, une invitation à célébrer l'ouverture d'une nouvelle épicerie grande surface. Dégustations et surprises pour les invités. Le magasin se trouve en plein cœur du quartier juif de Côte-Saint-Luc. Je crois que je vais y aller, histoire de découvrir, après le saucisson Halal, le goût des rillettes cachères.

Je te laisse, j'ai faim !

Comtesse Petite Vie

18 novembre

Chère Jo Très Occupée,

Décidément, le statut de femme au foyer me comble. Il ne manque que le compte en banque pour vraiment lui donner toute sa splendeur ! Je suis en train de retranscrire mon répertoire téléphonique complètement en lambeaux. Ça fait vingt-cinq ans que je le traîne. Mon Dieu ! Quel bizarre exercice... Repasser vingt-cinq années en l'espace d'un après-midi. Revisiter des noms et se rendre compte, pour des raisons allant des départs vers l'au-delà aux changements de pays, en passant par les hasards de la vie tout simplement, qu'il a diminué de moitié. Excellent également pour évaluer, un quart de siècle plus tard, les mots amitié et fidélité.

Si ça parle un répertoire téléphonique !

Un autre voyage dans le temps.

Efficace également pour jauger la qualité de sa prétendue intuition, repassant, noir sur blanc, quelques naïvetés et autant de leçons (visiblement non apprises). Comme à confesse. En rayant un nom, on fait disparaître un souvenir, une bêtise, une déception, une peine d'amour, le numéro du médecin qui a accouché tes deux Oisillons ou encore celui du magnifique Italo-Argentin arrivé tel un ange gardien, un soir à Rome, au moment où je m'interrogeais sur lequel des clochers je choisirais en cas de saut, brisée par une peine d'amour fortement attisée par la présence dans le même hôtel (pour raisons professionnelles) de l'homme qui ne m'aimait plus.

Cette rencontre accidentelle avec un ange romain (de surcroît beau comme un coup de casserole yougoslave) s'était produite tel un miracle. Un soir, après avoir mangé au restaurant avec deux membres de l'équipe de tournage qui avaient tout tenté pour me remonter le moral, un musicien, ému par ma mine désespérée, m'avait offert une fleur en disant que j'étais beaucoup trop belle pour avoir l'air si triste. Sur le chemin du retour vers l'hôtel, la rose toujours à la main, toujours aussi inconsolable, je m'étais arrêtée devant une porte ouverte d'où sortait de la fumée et de la musique. L'endroit s'appelait *Roma di note*, un bar galerie d'art qui présentait également du jazz. Je marchais quelques pas derrière mes chaperons et, poussée par je ne sais quoi, j'étais entrée m'asseoir au bar, oubliant carrément mes collègues. Le barman (tellement beau!) était également propriétaire de l'endroit situé dans Trastevere. Nous nous étions souri. Plusieurs habitués, installés au bar, voyant ma triste mine, me regardaient avec une tendresse toute fraternelle. Ils parlaient de moi entre eux. Je ne comprenais rien, mais je sentais que c'était de façon gentille. Une heure plus tard, les chaperons, qui avaient entretemps retrouvé leur pleureuse, lui ont rappelé le tournage du lendemain à sept heures et qu'il était temps de rentrer à l'hôtel. En partant, j'avais donné ma rose au barman. Quelques instants plus tard, alors que nous attendions un taxi, il était arrivé en courant, me demandant dans un anglais très approximatif comment je m'appelais et si j'allais revenir.

Je suis revenue. Cette rencontre sans lendemain a été un cadeau. Avec lui, je m'étais à nouveau sentie vivante et désirable. Épisode bref, mais ô combien thérapeutique...

Décidément, il faut vraiment que je retourne à Rome.

Ciao Bella !

Comtesse Dolce Vita

24 novembre

Chère amie, Dieu qu'il fait beau.

Fils débutait ce matin sa première journée de stagiaire ébéniste. Située à deux pas de la maison, l'entreprise fait partie d'un regroupement d'ateliers d'artisans spécialisés en tout ce qui touche au bois : finition, restauration, design, décors, etc. Te dire à quel point il était heureux lorsqu'il est parti avec son coffre à outils et ses nouveaux rêves sous le bras. C'est la première fois que je le voyais aussi enthousiaste. En même temps, sa nervosité était touchante en ce début officiel de vie adulte. Dorénavant, il devra faire ses preuves devant des inconnus qui le jugeront. Hors de la protection du cocon familial.

Bienvenue chez les grands, Fils !

J'ai pas pu t'écrire pendant trois jours parce que Poussine, littéralement au bord de la crise de nerfs, a réquisitionné l'ordinateur pour taper ses travaux universitaires de fin de session. Oh le beau retour dans le temps : l'époque Miss Vinaigre ! C'était donc l'excuse idéale pour paresser en ayant zéro culpabilité.

Merci Poussine.

Pendant que je t'écris, il y a un (faux) feu de bois qui crépite mais qui ne sent rien. Dehors, il vente tellement fort et froid que j'en ai profité pour isoler chaque petite source d'entrée d'air dont notre maison centenaire est si bien dotée. Je peux t'affirmer qu'elle « respire » en masse l'auberge. Nous ne vivons vraiment pas dans une maison toxique.

Chère amie, j'ignore si c'est l'effet «PPP» (pot, pinard, popote), mais je me sens pour une première fois depuis trop longtemps parfaitement bien. Légère. Pas un gramme de tristesse dans le système. Heureuse d'avoir le temps d'aller chercher ma voiture vingt-quatre heures plus tard que prévu, aussi aimable qu'une femme fraîchement bien baisée trouvant la vie trop belle pour engueuler l'employé du garage chargé d'annoncer: «S'cusez madame, pour l'auto... ça va aller à demain.» Heureuse surtout de savoir que personne ne compte sur moi pour régler un problème de tournage, pour trouver à la dernière minute une idée géniale et une personnalité tout aussi géniale (parce qu'on est en BBM) afin de remplacer un invité annulant pour raison d'orgelet virulent.

Jo, je me dis que les récents jours très **noirs** annonçaient plutôt le chant du cygne de mon séjour chez les morts vivants. Un dernier petit goût de frayeur, histoire de faire réagir «le sujet» avant qu'il ne se laisse happer de nouveau.

J'ai des crêpes au jambon fromage pour toi. Mon statut de dame au foyer me permettant cette liberté, je peux aller te les porter (rapidement) demain au bureau.

À +

L'Autruche En Santé

29 novembre

Chère Jouvencelle,

Je viens de lire ton mot. Quoi te dire à part que nous devons être jumelles cosmiques. Moi aussi en deux jours j'ai croisé plein de gens dont j'avais même oublié l'existence et qui réapparaissent dans ma vie. Décidément, il n'y a pas de hasard.

J'ai lu dans *La Presse* que les échalotes mexicaines pouvaient donner l'hépatite B. Également vu à la télé un reportage sur un Iranien dont la langue avait été coupée et qui s'était fait greffer le gros orteil à la place. Puis j'ai appris que certains moines bouddhistes au Japon consacraient les dix dernières années de leur vie à se préparer à la momification, de façon à être «à point» pour la postérité au moment de rendre leur dernier souffle. Dieu que nous vivons sur une étrange planète.

Les Chippendales ont installé un ampli dans «la salle de musique», c'est-à-dire approximativement au-dessus du salon. Depuis, le 2283 bénéficie de concerts en stéréo. Les odeurs de cuisine ont elles aussi changé. Ça parle beaucoup les odeurs. Avant, l'Auberge était baignée de parfums antillais et asiatiques, gracieuseté des différents pensionnaires qui y ont séjourné; maintenant, elle nage dans des effluves «steak frites ketchup».

Hier soir, j'ai joué au scrabble en tête à tête avec moi-même. L'une de nous a gagné haut la main. Et pourtant, les mêmes neurones ont été utilisés par chacune «des» joueuses.

À quoi ça tient encore une fois? Au hasard. Au hasard des lettres pigées. Tout simplement. (Je sais, ça fait un peu schizo mais c'est vraiment amusant comme passe-temps solitaire.)

Au cours de la soirée, parlant de plaisir solitaire, après m'être amusée à faire une esquisse pour la page couverture de notre livre, un «pop-up» annonçant un super godemiché électronique est apparu à l'écran de l'ordinateur. Je songe à le commander, histoire de ne pas mourir idiote. J'ai également effectué mon premier voyage astral en soufflant trop fort pour éteindre l'incendie du gratin de brocolis oublié sous le gril.

Voilà. À part ça, j'ai préparé de la salade russe (encore une fois, guide alimentaire canadien au complet dans le plat). Elle se mange froide et tu peux la conserver deux ou trois jours. Livraison gratuite.

Bonne semaine!

Comtesse Air Du Temps

4 décembre

Chère Jo,

Ce matin, j'ai constaté que mon visage s'était affaissé. Cet effondrement a dû se produire pendant la nuit. Peut-être la récente miniperte de poids ? Y a pas à dire, passé quarante-cinq ans, il faut choisir entre le visage et le postérieur.

Six mois déjà que je vis en solo avec Fils. Finalement, ça se passe plutôt bien. Un coloc parfait. Nous vivons chacun nos vies et nous croisons avec plaisir, le temps de partager une bonne soupe maison pleine de nouilles ou de lire, le samedi matin, lui, son publisac à la recherche du banc de scie idéal et moi, la grosse *Presse*.

Ça vient de me sauter aux yeux : dorénavant, c'est une vie de célibataire qui m'attend, avec son lot de moments trop silencieux.

Tu sais à quel point j'ai toujours aimé la solitude, mais je constate qu'elle était – et j'ai bien dit était – un moment choisi, volé à la bordélique vie de famille de Volaille En Chef, pigiste à temps plein depuis vingt-cinq ans. Maintenant que je suis libre comme une religieuse défroquée, le silence et la réclusion n'ont plus la même signification.

Je vais donc aller de ce pas au club Costco prendre un bain de foule, histoire de tester ma résistance au bruit…

Bye !

La Jeune Célibataire Pimpante

5 décembre

Chère Amie,

On est le 5, toujours pas reçu le loyer des Chippendales malgré le pot de ketchup maison qui, ce mois-ci, servait de messager... J'ai plus de succès avec les légumes de saison.

Cette semaine, un des derniers adorables fous qui habitait le duplex voisin du salon funéraire est mort. J'ai simplement vu un sac noir sortir. J'ignore c'est lequel ou laquelle d'entre eux, mais ils n'ont pas fait appel à l'entreprise adjacente. Sans doute trop cher. Ces pupilles de l'État, dont le cerveau fonctionne de façon pas synchro avec la société, font partie de nos vies depuis treize ans, fumant sur leur balcon, discutant avec les arbres, les écureuils ou les trottoirs. Je m'ennuie surtout d'un vieux monsieur anglophone qui avait dû être très éduqué avant de perdre le sens de la réalité. Il passait son temps au beau milieu de la rue à fumer des cigarettes quémandées aux automobilistes. Un matin, il m'avait accostée alors que je déneigeais l'auto, me demandant poliment de lui prêter un dollar. Sauf que j'avais pas un sou sur moi. À la place, je lui ai offert une cigarette en m'excusant d'être un peu à l'étroit financièrement. Quelques mois plus tard, alors que j'attendais le feu de circulation au coin de la rue, il est arrivé, s'est penché à la fenêtre et m'a dit: «*Still broke Madam?*» Ce monsieur n'était peut-être pas syntonisé sur les mêmes ondes que la moyenne, mais il avait de la mémoire. Il m'a toujours intriguée. Une grande distinction enrobait ses délires. Que lui était-il arrivé pour qu'il vive désormais dans une maison pour handicapés pas trop fortunés ?

Après cinq années de réclusion dans la tour zen, d'avoir revécu un été complet au niveau du sol, les fenêtres grandes ouvertes et paresse au jardin, je suis assommée par la vitesse avec laquelle le temps file. Depuis treize ans, à part les nombreux locataires bizarres qui ont vécu brièvement dans le triplex mitoyen avant l'incendie, les résidents de la rue sont tous les mêmes. Alors, après une aussi longue période cloîtrée, j'ai pu mesurer à quel point les vies avaient changé.

Un minuscule bout de rue mais tant d'existences transformées. La petite voisine timide qui vendait du chocolat pour les Jeannettes et qui verse maintenant dans le gothique, ou encore ce couple attendrissant formé d'une jeune femme trisomique et d'un handicapé qui se promènent depuis treize ans main dans la main, heureux dans leur propre univers... des voisins dont j'enviais le bonheur se sont séparés et de nouveaux bébés sont nés.

Côté cour, d'ex-fêtards trop blonds ont mis au monde l'enfant le plus désagréable de la planète, et ce, après avoir crevé le tympan du voisinage pendant cinq ans avec leur musique de discothèque (tu vois, le karma veille toujours...). Sans oublier une nouvelle portée de ticuls, jadis adorables en tricycle, maintenant à l'âge où je les gazerais volontiers lorsque je vois le plaisir qu'ils prennent à casser des bouteilles ou à lancer des roches aux chiens.

Mon voisin « Zé-vé-pozé-dou-beau-pavé-ouni », quant à lui, a terminé sa besogne. Ça lui a pris un mois. C'était tellement mignon de le voir assis dans les marches à couper au ciseau à bois et au marteau les bouts de pierre. L'image avait un petit côté Pagnol sud-américain plutôt charmant.

Déjà six mois que Clara est morte et elle me manque toujours autant.

Je te laisse, j'ai rendez-vous chez le vétérinaire, Kadhafi-e a recommencé à boiter.

L'Autruche Pensive

7 décembre

Chère Grande Directrice Artistique,

Il est près de minuit. Pas vraiment mon heure pour écrire mais je suis incapable de dormir, après avoir pleuré toutes les larmes de mon corps et, crois-moi, pour une première fois depuis trop longtemps, pas une seule larme ne m'était destinée. Compte tenu que la production lacrymale diminue de cinquante pour cent passé l'âge de quarante ans, j'aime mieux te dire que demain Comtesse risque d'avoir l'air d'une tortue qui se tape deux orgelets en même temps.

En quittant le plateau du téléthon pour la recherche sur les maladies infantiles ce soir, je me disais à quel point j'étais fière de toi. T'es vraiment une grande! J'ai trouvé ça beau de te voir «sur le terrain», t'occuper de cette énorme production avec intelligence, sensibilité et surtout avec ton humour vif en rien altéré par l'épuisement. Tu étais «toute là», en contrôle. Lorsque tu avais une petite montée d'inquiétude, c'était tout mignon.

Cette grosse équipe t'aime vraiment beaucoup. Je suis contente d'être venue vous donner un petit coup de main.

Ce n'était pas mon premier téléthon, mais c'est la première fois que j'en sors bouleversée à ce point. Si la chair de poule faisait maigrir, c'est une Comtesse de neuf kilos qui serait repartie hier soir. Peut-être parce que l'année dernière, avant de craquer à deux semaines du téléthon, j'avais rencontré quelques enfants malades lors des tournages dans les hôpitaux. Revoir leurs parents, si courageux l'année dernière, encore portés par l'espoir d'une guérison, revenir parler de leur enfant maintenant disparu pour continuer à appuyer la recherche, c'est un don de soi violent, douloureux, et une magistrale leçon de vie.

Parmi eux, une jeune fille atteinte d'une tumeur cérébrale m'avait brisé le cœur. Seize ans à peine. Ses parents, bouleversants de stoïcisme et dont la vie aussi était anéantie, passaient leurs journées entières à l'hôpital. Voir cette enfant au corps diaphane et au courage de béton lutter pour s'en sortir malgré la gravité de la maladie (et la lourdeur des traitements) m'avait confronté à la douleur de la dépression qui s'emparait de moi, la rendant misérablement futile et tellement indécente.

Tout ça pour te dire que tu as beaucoup de talent avec les humains. Tu es vraiment quelqu'un de bien et je suis très chanceuse d'être ton amie.

Repose-toi bien,

Ton Amie Iléana

9 décembre

Chère Jo,

As-tu déjà pleuré de joie ?

Hier soir, je regardais à la télé des émissions super en vogue actuellement : les *makeovers*. Qu'il s'agisse de maisons, de *lifting* ou d'un « relookage » complet, les gens pleurent tout le temps tellement ils sont heureux. Je n'ai jamais pleuré de joie de ma vie. J'ai pourtant génétiquement ce qu'il faut dans mon sang transylvanien. Les larmes, je trouve qu'il y en a déjà suffisamment de consacrées au chagrin.

Miss Anthropologie a passé une partie de l'après-midi chez sa maman pour étudier un examen sur l'économie africaine. Nous avons tellement jacassé qu'elle est repartie sans avoir ouvert un seul livre. Elle m'a entre autres expliqué ce qu'était l'économie informelle en Afrique et pourquoi celle-ci était plus développée que l'économie formelle.

L'informelle, c'est le marché noir (florissant) et la formelle (vraiment pas florissante), c'est le système officiel. C'est d'ailleurs un plan de gestion préparé par les Caisses populaires Desjardins qui a été choisi pour tenter de faire la transition de l'économie informelle à l'économie formelle en Afrique. Bravo. Pendant ce temps-là, les Québécois, de plus en plus déplumés par leur propre économie formelle, et à bout de voir à quel point les syndicats et les gouvernements oublient qu'une grosse partie de la population vit de façon précaire, vont par leur survie se tourner de plus en plus vers l'économie informelle. Peut-être qu'un jour, ce sont les Africains qui vont venir nous apprendre à nous gérer.

C'était mon radotage hebdomadaire.

À part ça, en cherchant le certificat de naissance de Poussine (à qui j'offre, pour son vingt-quatrième anniversaire, de faire ajouter officiellement Doclin à son nom de famille, mon enfant ayant mentionné à quelques reprises qu'il était injuste que son frère porte mon nom et pas elle. Mais, à l'époque où elle est née, comme j'étais mariée, il fallait qu'elle porte le nom du père uniquement. Trois ans plus tard, quand Fils est arrivé, la loi avait changé), je suis tombée sur un minidossier de presse sur le paternel. Une réalisatrice de Radio-Canada me l'avait remis le jour de son enterrement. J'avais complètement oublié l'existence de ces feuilles, les ayant rangées sans les lire.

Décidément, il me hante celui-là quand je t'écris. C'était pareil lors de l'écriture de *L'Autruche Céleste*. Inconsciemment, on dirait que le fait de te parler de ma vie me force à découvrir mon père, ou plutôt ce qu'il m'a laissé de lui et que j'ai toujours refusé d'admettre.

Quel personnage n'empêche ! Voici quelques manchettes :

« Voici l'homme le plus discuté de la télévision : 'Nic' Doclin » (*Écho Vedettes*, 1957), « Quand Nicolas Doclin se fait haïr par les Torontois » (*La Presse*, 1973), « Ma conception de l'amour » (*Dernière heure*, 1973). Celui-là, je vais le lire en premier.

…

Il débute par :

« On m'a fait une réputation de don Juan ? C'est tout simplement parce que j'avais le courage de m'afficher avec des femmes, et comme dans mon métier c'est plutôt mal vu (ricanement féroce…), cela provoquait des pleurs et des grincements de dents… Ceux qui disaient cela de moi étaient aussi et surtout des 'défroqués' qui faisaient pipi d'émotion en voyant une belle femme, mais qui n'osaient pas le faire ouvertement. » Un peu plus loin : « Sourire carnassier, regard noir, maniant férocement l'ironie, Nicolas Doclin a souvent un air diabolique, quelque chose qui, aisément, rappelle le comte Dracula, son compatriote transylvanien. »

Parlant de sa conception de la femme :

« J'aime la femme avec un certain respect. Je dis la femme et non pas les femmes. Oui, je la respecte profondément, contrairement à la majorité des hommes qui la considèrent surtout comme un objet d'amusement. On respecte sa sœur, sa mère, mais c'est évidemment ta maîtresse que tu aimes, et ce n'est pas pour quelques livres de chair, placées ici et là qu'elle compte : tu l'aimes pour ce qu'elle peut représenter comme équivalent de toi-même. »

Ouf. Pauvre maman !

Jo, c'est bel et bien de mon père que l'on parle dans ces lignes… Je sens que la lecture de ces articles va être fort intéressante. Je poursuis le même article :

«… il sourit, égrillard, allume une cigarette, comme pour mieux réfléchir, avale une gorgée de Slibovitz, balaie de la main objections, oppositions ou contradictions. Rien ne compte pour lui si ce n'est l'expression des sentiments profonds dont on ne veut généralement pas faire état, sous peine de paraître faible. De ses origines roumaines, il a bien sûr gardé cette façon de voir les choses qui consiste surtout à rire pour n'avoir pas à pleurer.»

Jo, c'est mes gènes…

Suite et fin du papier: «Nicolas fait un grand soupir. Son regard s'est considérablement adouci au point de ressembler à un cocker. Puis, il se secoue pour ne pas tomber dans le sentimentalisme.»

Chère amie, qu'ajouter de plus ?

Bonne soirée !

Comtesse OGM…

P.-S.: Lorsque Poussine est partie, en ramassant ses cahiers, elle a fait tomber une tasse de café pleine sur ses livres (et sur mes chaises anciennes recouvertes de tissu). Furieuse de sa bévue, elle a ajouté aussi sec: «C'est de ta faute si je suis gauche. Je suis exactement comme toi!» En voilà une au moins qui ne remet pas en question son hérédité.

10 décembre

Oh-la-la-Chère-Jo,

Je croyais tout de même connaître un minimum notre père. Que de découvertes à la lecture de ces vieux articles de journaux. C'est tout de même étrange que je sois tombée sur ces documents au moment où je me demande avec ardeur lesquels de mes gènes sont dominants. Vraiment, plus besoin de chercher. Albert Einstein a déjà écrit: «le hasard est la forme que prend Dieu quand il veut être anonyme» et le hasard, ou mon manque chronique d'ordre, a mis ces pages dont j'avais oublié l'existence sur mon chemin.

Et surtout à cette période-ci…

Hier soir, je recevais l'équipe de l'émission pour laquelle je travaille actuellement pour un petit dîner de Noël. La première chose que m'a dite l'un des invités après avoir vu les différentes photos de famille au mur:

«C'est incroyable de voir à quel point ton âme roumaine émane de tes yeux sur les photos.»

Je tiens à préciser que cette personne n'est absolument pas au courant de mes récentes interrogations d'ordre génétique.

Un autre message «divin». Sans doute la fin – une fois pour toutes – de mes trop nombrilistes questionnements. Des trois enfants Doclin, c'est la cadette qui a remporté le gros lot transylvanien, même si elle s'est toujours refusée à l'admettre. Dorénavant, elle doit y chercher uniquement le meilleur et cesser de considérer son état comme étant une malédiction.

Comme le dit Larry Flint: «Il ne sert à rien de gaspiller ses énergies à vouloir changer l'impossible.»

Alors... Alors j'ai décidé d'arrêter de m'appesantir sur l'actuelle crise d'identité. Je ne sais pas trop à quoi elle était due. Est-ce que c'est la précinquantaine, la vie de pigiste vieillissante ou, encore mieux, des questionnements normaux annonçant le début d'une ère nouvelle?

De toute façon, la dernière chose que je vais te dire sur l'identité, c'est que dans le fond on ne la trouve jamais. Elle change tout le temps, suivant les amours, les échecs, le travail et les seins qui tombent.

J'arrête donc de radoter là-dessus.

À samedi pour le souper!

Comtesse Aux Yeux Tristes

15 décembre

Hola Jouvencella !

Bravo pour ton voyage en Espagne. C'est une bonne nouvelle. Je suis très heureuse de t'annoncer qu'à la suite de l'abondante chute de neige d'hier, la nouvelle brique semble faire des miracles côté isolation, c'est-à-dire que pour la première fois en treize ans, zéro infiltration d'eau et zéro glace à bûcher. Tu vois, le bonheur c'est parfois tout simple. Mère Agaguk va pouvoir ranger la hache.

Dans *La Presse* ce matin, j'ai appris que le Nord-Américain moyen allait prendre de deux à cinq kilos durant les fêtes. Ça tombe bien, cette année Miss Taille De Guêpe est en Ontario chez la belle famille et Don Marqueterie va goûter à un premier Noël portugais chez son amoureuse. Donc pas de grosse cuisine à faire. En passant, si je me base sur le gabarit de ladite amoureuse, une chose est claire : Fils ne cherche pas sa mère.

Pourquoi est-ce que les amis ne nous disent jamais qu'on a grossi ? Avant hier, je recevais et c'est seulement après avoir annoncé que j'étais au régime depuis trois semaines, qu'à l'unisson ils m'ont répondu : « Il était temps, tu avais pas mal pris de poids. On ne voulait pas te le dire, des fois que tu sois encore trop fragile pour le prendre. » Certains d'entre eux n'ont pourtant pas hésité à me secouer les puces au cours du séjour chez les zombies, afin de m'encourager à sortir de ma torpeur. Tu vois, le poids, c'est tabou.

Plus que quinze jours pour enfin reléguer l'horrible année 2003 aux oubliettes. Je dois te dire cependant que nos retrouvailles épistolaires auront été excellentes pour évacuer quelques bibites collées au plafond. Revisiter ma vie par écrit m'a permis de faire un constat qui à mes yeux est le plus important, celui de n'avoir jamais perdu la faculté de vivre au jour le jour. Sans doute une façon de gérer la précarité de ma situation. Et, histoire de me rappeler celle-ci, j'ai reçu ce matin un chèque de retour de TPS, c'est le signe le plus éloquent de ma déconfiture financière post-dépression. C'est-à-dire une baisse de revenus dépassant cinquante pour cent. C'est pas rien ! Et pourtant, la maison a reçu son plus gros *lifting* en dix ans, une nouvelle voiture promène Comtesse, un petit chien tout blanc dont les cent grammes reviennent au prix d'une truffe ensoleille nos vies, l'auberge a été ré-hypothéquée, sans oublier que j'ai maintenant une dette équivalente au prix d'une Volvo (neuve). Décidément, ça revient cher l'once de larmes de péter les plombs.

Tout ça pour dire qu'une fois de plus, c'est probablement mon inconscience qui a sauvé la situation immobilière, avec sa manie de me faire faire des gestes trop souvent sur le bord d'être hasardeux, mais qui auront permis de ne pas perdre la maison.

Merci, très chère inconscience.

Tout peut tellement basculer en un minuscule instant. C'est pour ça que je suis incapable de me projeter dans l'avenir et, je te le dis avec une conviction d'autant plus grande, une semaine après le téléthon.

Hier soir, j'ai regardé la biographie de Christina Onassis. Qu'ajouter à part :

Trop de poux finit par ne plus déranger, trop de dettes finit par ne plus attrister. Proverbe chinois qui va comme un gant à Comtesse, sauf qu'à la place des poux, on pourrait parler de souris… Quoique le problème semble être réglé.

L'Autruche Qui Va Profiter Du Temps Des Fêtes Pour Se Mettre Au Régime

17 décembre

Hola Amiga !

Le ton de ta lettre est réjouissant, tranchant royalement avec le dernier vingt-quatre heures, qui dans mon cas était plutôt tristounet. Je pense que cet état est dû en partie à un rêve trop beau pour être vrai, dans lequel j'étais très amoureuse d'un monsieur qui l'était tout autant. De revivre oniriquement l'état euphorisant et magique que seul l'amour arrive à créer, m'a cruellement fait réaliser à quel point l'échec de ma vie amoureuse est de taille…

Depuis deux jours, histoire de tester un peu plus mon manque d'enthousiasme face aux fêtes qui s'en viennent, on dirait qu'un mauvais génie me nargue : au moment où je rentrais de l'épicerie à pied, l'un des sacs a cédé sur le perron. Bien sûr c'était le sac avec les œufs et un pot de mayonnaise. Ensuite, j'ai fait une soupe aux nouilles puis, après m'être servi un bol, il a lui aussi cédé (tout seul), avec pour résultat que les chiens et moi nous nous sommes brûlés (sans oublier les centaines de mini-nouilles bien prises dans leurs poils). J'ai également brisé un abat-jour en vitre en le nettoyant, pilé sur une punaise et, pour terminer, en sortant un splendide poulet du four, j'ai échappé la rôtissoire (bien entendu le poulet, les oignons et la sauce ont suivi). Le plancher de la cuisine est très propre, n'étant pas habitué à se faire laver deux fois par jour. Ah oui, j'oubliais : l'ampoule de la lampe sur le comptoir a littéralement explosé, sans doute pour suivre le *beat*.

Allô maman bobo.

La rue est un parking géant. Pas une seule déneigeuse n'est passée depuis la tempête, alors c'est le festival du « surplace » pour les voitures prises dans la glace, le tout agrémenté de moteurs qui forcent, de pneus qui crissent et de gens qui sacrent.

Hier soir, je suis allée écouter un concert de Noël au salon funéraire voisin. Oui, oui. Quand j'étais toute petite, j'habitais déjà le quartier, l'autobus scolaire passait tous les jours dans la rue et, chaque fois, je fermais les yeux pour ne pas voir cette maison qui me faisait si peur. Combien de cauchemars au sujet de cet endroit réservé aux morts. Quand ma fille était petite, j'ai rêvé à plusieurs reprises qu'elle se faisait garder et que la gardienne l'amenait jouer près des cercueils du salon. C'est tout de même étrange d'avoir acheté un duplex juste à côté. Alors, pour aller au bout de ma peur de cette maison qui me hante depuis quarante ans, j'y suis allée comme une grande, toute seule, afin de me la sortir du système. Le concert avait lieu dans la chapelle et, en principe, c'est par cette porte que je devais arriver. J'ai plutôt choisi l'entrée principale de façon à visiter les différents salons, dont deux ce soir-là avaient de la « visite ». J'ai demandé à l'un des employés de m'indiquer le chemin de la chapelle. Pour éviter de repasser par l'extérieur, il m'a fait prendre un petit dédale, me faisant du même coup visiter ce bijou architectural. Une fois dans la chapelle, nous étions à peine une douzaine : moyenne d'âge soixante-quinze ans. Je me suis assise au fond pas loin des portes, connaissant trop ma tendance à quitter les lieux avant la fin d'un événement. Le concert s'annonçait beau. J'étais perdue dans mes pensées et tout à coup, j'ai ressenti un malaise inexplicable. L'énergie qui se dégageait de cette chapelle m'oppressait. À peine dix minutes que j'y étais et puis ça m'a sauté aux yeux. Contrairement à une église, cette chapelle suintait la tristesse. Seulement des morts s'étaient retrouvés devant l'autel. Pas de baptêmes, pas de mariages, que des adieux. L'énergie du lieu était trop négative à mon goût. Je suis sortie marcher dans le parc, apaisée par la beauté des arbres qui ployaient sous la neige. Au retour, encore trop troublée par ma visite, je suis allée au Maz, juste en face du salon funéraire, prendre un verre de piquette en regardant des gars éméchés jouer au billard.

Au lieu d'aller dans les bars, Comtesse fréquente les résidences funéraires et les tavernes anglophones, puis se demande pourquoi elle est seule au plumard.

P.-S. : C'est trop mignon, les Chippendales font du « poussage » de voiture depuis deux heures en face de la maison, où une méga plaque de glace immobilise une voiture sur deux depuis ce matin. Ils font ça pour le *trip*, juste pour aider. Fils aussi s'est mis à contribution. Quant à Bobonne, elle a acheté deux sacs de gros sel, qui ont été répandus dans la rue à la santé des cols bleus.

Hasta luego !

Comtesse Rapsodie

18 décembre

Chère Jo Très Occupée Par Le Marathon Du Temps Des Fêtes,

Aujourd'hui, l'auberge a connu sa première infiltration d'eau post-tempête et post-briques. Je ne sais vraiment pas par où passe cette glace ! La situation s'est améliorée depuis les travaux de maçonnerie, mais le problème n'est visiblement toujours pas résolu. Je suis protégée des grands malheurs par une succession d'emmerdements sans gravité. Alors je prends ça avec un grain de sel.

Je parlais à Petite Claire ce matin, une Petite Claire dans le jus par-dessus la tête, chargée de cuisiner le repas communautaire de sa miniparoisse. Elle m'impressionne vraiment. Quelle faculté d'adaptation tout de même à soixante et onze ans ! Les trois dernières années auraient mis K.-O. bien du monde. Se séparer après vingt ans, s'exiler avec ses trois chiens pour soigner son arthrite et son cœur esquinté, sa fille qui pète les plombs, bref, ma mère a surfé sur des vagues dignes de compétition.

Cette vie nouvelle, en pleine campagne, surtout après les récents coups de grisou, a transformé sa personnalité. Sa nature profonde, un brin solitaire, n'a pas tardé à faire place à une citoyenne pimpante et engagée dans sa petite communauté.

Maman est repartie à zéro pour la troisième fois de sa vie.

C'est elle maintenant la patronne !

Adorable Petite Claire que j'ai si peu supportée tout au long de cette traversée. Mais, à ma décharge, je n'étais même pas en mesure de m'aider moi-même.

Jo, c'est la première fois que je me sens coupable.

À bientôt !

La Fille Très Fière De Sa Mère

20 décembre

Chère Jo,

À cinq jours de Noël, je repensais aux familles qui passeront leur réveillon dans les hôpitaux en se demandant, pour certains d'entre eux, si c'est le dernier qu'ils partagent avec leurs Oisillons malades. C'est vraiment injuste.

Dieu que nous sommes chanceuses d'avoir des enfants en santé ! Tu vois, même au plus creux de mon désespoir zombie, pas une seule fois je n'ai oublié de remercier la vie pour ce cadeau. En pleurant souvent peut-être, mais en disant merci quand même.

Aujourd'hui, c'est la première fois que ça paraît vraiment que j'ai maigri. Je me trouve presque jolie et ça aussi c'est une première ! On dirait que je marche la tête plus haute.

Une semaine après la tempête, pas une seule déneigeuse n'est passée. Te dire l'état de la rue ! L'auberge au grand complet, Chippendales inclus, continue donc à faire du cardio en poussant les voitures prises devant la maison où sévit toujours la plaque de glace. Excellent également pour faire des rencontres.

Moral tout aussi excellent, tranchant d'avec celui des deux derniers jours. J'essaie même plus de comprendre.

En changeant les draps ce matin, j'ai réalisé que je traînais le même oreiller depuis quarante ans. Il a même suivi six mois en Europe quand j'avais vingt ans. Te dire le *rave* d'acariens qu'il doit y avoir là-dedans ! Ça peu sembler con de parler d'un oreiller, mais quand on y repense, il en a vécu des choses ce tas de plumes ! Beaucoup de larmes, les miennes et celles des Oisillons venant se réfugier dans mon lit lorsqu'ils étaient malades, les baisers fougueux de l'époque des amours, des secrets au creux de l'oreille, sans oublier que les têtes de tous mes chiens s'y sont posées avec délices. Acariens, poils et poussière, c'est pour ça que personne n'est asthmatique dans la famille : cet oreiller nous aura tous immunisés. Il a tout de même pris officiellement le chemin de la poubelle.

Avec un oreiller neuf, c'est une nouvelle vie qui débute. Tu sais comme je vois des symboles partout…

La miniauteur s'est fait reconnaître aujourd'hui chez le boucher. Un monsieur imagine-toi. Quatre ans après la publication, petit velours garanti. Il a demandé si j'avais encore la piscine et si le nombre de pensionnaires était toujours aussi élevé.

« Est-ce que vous allez en écrire un autre ? On a hâte ! »

Re-velours.

Mes oreilles en ont picoté de joie…

Bon magasinage !

Comtesse Flammarion Québec

P.-S. : L'oreiller avait tout de même été lavé à quelques reprises…

25 décembre

Une petite Américaine de couleur a volé des cadeaux de Noël pour ses jeunes frères, trente mille personnes et une cité millénaire ont disparu dans un tremblement de terre, la boue a emporté un village de Californie, Las Vegas est inondé, le général Kadhafi est la nouvelle icône antiterroriste et le festival des attentats-suicides a atteint de nouveaux sommets. Tout ça en même pas vingt-quatre heures.

Joyeux Noël !

Quand j'étais petite, les mots Bethléem et Palestine résonnaient de luminosité. Et c'était déjà un leurre.

Krishnamurti a écrit : « Il est bon de naître dans une religion, mais pas d'y mourir. » La religion a sur les hommes un pouvoir aussi dangereux qu'une fiole du virus Ebola mal bouchée.

Voilà.

Moi qui suis née dans la religion catholique, je t'annonce en ce jour de Noël que je suis désormais athée. Je crois au bien et au mal et c'est uniquement par ces deux notions que mes actes sont guidés. Tous les soirs, je remercie La Vie. Pas Dieu. Trop d'horreurs sont justifiées au nom de la religion quelle qu'elle soit.

J'ai toujours détesté Noël. Lorsque j'étais enfant, chaque 25 décembre était synonyme de drames dans la famille Doclin. Si bien qu'un jour, nous avons cessé de fréquenter la parenté qui ne souhaitait plus vivre les éclats du paternel. Notre papa, comme la plupart des immigrants il y a une quarantaine d'années, était un farouche partisan libéral pour qui le nationalisme québécois représentait une menace à la hauteur du communisme qu'ils avaient fui. Par tradition, c'est Papouche, mon grand-père maternel, qui recevait pour le réveillon dans sa belle grosse maison de Westmount. Les repas étaient toujours fabuleux. Pour les enfants, c'était l'une des rares occasions de voir les cousins. L'un de mes oncles, farouche indépendantiste, ne s'entendait pas vraiment avec le paternel. À l'instar de notre père, cet oncle (que j'adorais) devenait aussi belliqueux que lui après quelques verres de vin. Le repas commençait toujours bien, le paternel faisant des efforts surhumains pour éviter d'aborder des sujets d'ordre politique. En général, vers le milieu du repas, l'alcool aidant, lui et mon oncle craquaient et le ton montait. Je voyais ma pauvre maman tenter le plus discrètement possible du regard de calmer mon père, ce qui avait pour résultat de le mettre encore plus hors de lui. Et chaque fois avant le dessert, ne pouvant plus se retenir, le paternel piquait une crise et se levait de table, exigeant que la famille Doclin quitte sur-le-champ le réveillon. Dans la voiture, il y avait un silence de mort. Sœur Aînée, Frérot, Petite Claire et moi, ravalant une fois de plus notre frustration d'être obligés de quitter la fête.

J'avais douze ans lors du dernier « demi-réveillon » chez Papouche. Par la suite, c'est seulement entre Doclin que Noël était célébré, ce qui n'excluait aucunement les drames dont visiblement notre père ne pouvait se passer. Un poil de chien sur le tapis, allez hop ! il lançait un plat à travers la salle à manger ; une poitrine de poulet à la Kiev pas assez croustillante et assurément le reste du plat de service suivait.

J'ai passé un seul beau Noël en quarante-sept ans d'existence. J'avais vingt ans et c'est grâce au Clown que j'ai pu vivre cette expérience tout à fait nouvelle. Le Clown venait d'une grosse famille de Chicoutimi. Un vrai clan uni comme dans les films... J'avais avisé le paternel que, pour la première fois, je serais ailleurs pour Noël, promettant d'être de retour pour célébrer le jour de l'An avec lui. Ce n'est pas sans grincer des dents qu'il avait pris connaissance de mes plans. Il croyait de plus que sa fille partait en compagnie d'un homme qui n'était qu'un copain. Le Clown et moi étions tout étourdis d'amour et ce voyage en pays inconnu (c'est-à-dire dans une famille normale) me galvanisait de bonheur. Arrivés le 24 décembre, nous avions fait le tour de la parenté pendant deux jours, et chaque maison visitée était une oasis de joie, d'affection et de bouffe. J'étais sidérée de constater que la fête de Noël puisse être aussi harmonieuse. Le père du Clown m'avait même incluse dans la bénédiction familiale. Cette semaine passée au Saguenay représente l'un de mes plus grands moments de bonheur, tout avait été parfait : j'étais avec l'homme que j'aimais et les étoiles, en cet hiver 1977, brillaient pour une fois juste pour moi.

Quant au retour chez mes parents, le 31 au soir, il s'est déroulé selon les habitudes de la maison, c'est-à-dire avec un drame !

Au cours de la semaine idyllique que vivait sa fille, à six cents kilomètres de là, le paternel apprenait par la bande que celle-ci avait passé Noël, non pas en compagnie d'un copain, mais plutôt en compagnie de son amant.

Pauvre Clown Amoureux! Il allait découvrir assez brusquement de quel bois se chauffait un père roumain inondé de honte à cause de sa fille.

Après avoir fait sept heures de route sous la neige, nous sommes arrivés chez mes parents qui recevaient. Il devait être dix-neuf heures. Nous étions dans notre bulle, une bulle pleine d'amour, encore tout engourdis de désir l'un pour l'autre.

À un mètre de la porte d'entrée, celle-ci s'est ouverte. Est apparue Petite Claire, découragée, elle nous demandait de quitter les lieux, *because* son époux refusait que sa pute de fille y mette les pieds. Jeune Comtesse était habituée à ce genre de scène. Mais le Clown, lui, faisait connaissance avec un univers plutôt éloigné de celui dont il était issu : celui du papa transylvanien et de sa jeune maîtresse...

Et j'ai passé ce soir-là le plus beau Nouvel An de ma vie (en tout cas, jusqu'ici).

Persona non grata, nous nous retrouvions un 31 décembre dans un village au cœur des Laurentides. D'énormes flocons de neige tombaient paresseusement, ignorés par le vent. Histoire d'avoir un joli souvenir, nous sommes allés faire un petit tour dans la forêt du paternel afin de rendre un rapide hommage au désir. Puis, nous avons mangé en tête à tête dans un restaurant charmant, goûtant à l'avance à la splendide nuit qui nous attendait.

Tu vois, Jo, j'ai déjà été heureuse, amoureuse et baiseuse!

Eh oui... les trois en même temps!

L'année suivante, un mois avant Noël, le Clown perdait sa mère dans un accident de voiture. Cette femme qu'il adorait emportait en mourant les fondations de la famille. Sans elle, la célébration de Noël n'a plus jamais été la même. Le paternel ne voulant toujours pas que sa fille répudiée remette les pieds chez lui, les réveillons qui ont suivi se déroulaient en général dans la famille d'amis proches. Quatre ans plus tard, à la mi-décembre, le Clown quittait femme et enfants. Je me retrouvais seule avec les Oisillons, le cœur brisé, à une heure de Montréal, dans une maison qui du jour au lendemain se transformait en prison. Pour la première fois de ma vie, un 25 décembre, j'étais sans famille. Pour endolorir toute cette peine, moi qui ne bois que du vin, j'avais acheté une bouteille de scotch, comptant me saouler pathétiquement devant l'arbre de Noël une fois les enfants couchés. C'était il y a vingt ans.

Depuis, j'appréhende et déteste la période des fêtes.

Sur ce, je te laisse, je vais aller faire cuire un ragoût de pattes de cochon, pour qu'au moins la maison «sente» Noël.

Je vais également dire un gros merci à la vie.

La Dinde De Noël

26 décembre

Chère Jo,

Infiltration d'eau dans la cuisine avec le redoux. Il me semble que c'est pas la première fois que j'écris ça? Au moins, j'ai une cuisine.

C'est affreux le tremblement de terre en Iran. Une chose me trouble cependant : il est interdit de diffuser les images de prisonniers de guerre à la télé, mais on peut montrer mille fois, en gros plan, une Iranienne brisée de douleur pleurant sur les corps de ses trois enfants.

Que de mauvaises nouvelles depuis quelques jours tout de même! C'est comme si la terre, elle aussi, entrait en guerre contre les hommes.

Côté bonne nouvelle, vingt ans après le départ du Clown, c'est chez lui et sa femme que je passe depuis deux ans le 24 décembre. Une vraie famille reconstituée. Mais la bonne nouvelle c'est pas ça, c'est de voir en 3D toute la tendresse que les Oisillons ont envers leur père. Ce père absent si longtemps. À ce chapitre, je prends une partie du crédit, ayant toujours fait attention à ne pas dévaloriser leur papa à leurs yeux, même dans les moments où je lui aurais volontiers coupé les couilles. L'amour qu'ils lui portent est pour moi la plus belle réussite de ce mariage raté. Youpi!

Autre bonne nouvelle, Fils a été appelé par l'ébéniste chez qui il faisait son stage. Au lieu de se retrouver dans une grosse « shop » à passer du bois à la dégauchisseuse huit heures par jour, il a la chance d'être engagé par un véritable artisan, également professeur de design à l'Université de Montréal et dont l'entreprise fonctionne très bien. Et si je me fie à ce qu'un ami de Poussine, lui aussi ébéniste depuis à peine deux ans, m'a dit, il y a des sous à faire dans ce métier que je trouve très noble. Don Banc De Scie, en choisissant le bois, a également choisi de vivre une vie libre, passionné par un métier qu'il pourra pratiquer n'importe où sur la planète, et surtout, dans un domaine où la notion de « péremption » est exclue...

Pour terminer, je te laisse avec Khalil Gibran qui a écrit : « Le travail est l'amour rendu visible. Et si tu ne peux travailler avec amour, mais uniquement avec dégoût, mieux vaut quitter ton travail pour aller t'asseoir à la porte d'un temple et recevoir l'aumône de ceux qui travaillent avec joie. »

À la santé des cols bleus & Cie !

Bye !

Comtesse Satisfaite

27 décembre

Yo!

On se croirait au mois de mars, tu ne trouves pas? De plus, les journées allongent. Que demander de plus?

Tu m'as fait réfléchir avec ton mot d'hier. C'est vrai qu'être athée ne rend pas les gens meilleurs. Quand j'ai décidé de le devenir, aux alentours de seize heures, le 25 décembre, c'était parce que trop de drames avaient été compilés en un trop court laps de temps aux informations télévisées. Et, outre les catastrophes naturelles, tout le reste des horreurs était justifié à la base par la religion. Au XIIe siècle, Richard Cœur de Lion a passé sa vie à haïr les musulmans. Au fait, le mot laps, est-ce que ça prend un «e»? Je vais regarder dans le dictionnaire.

«Laps: latin *lapsus,* chute; intervalle de temps.»

Avec ou sans «e» à la fin. «Laps(e): latin, *lapsus,* tombé. Se disait de quelqu'un qui avait adopté puis abandonné le catholicisme.» *Le Petit Larousse*, 1994.

Encore une coïncidence. Laps est un mot que j'emploie pour la première fois et il est directement connecté à mon accès subit d'athéisme.

J'ai adoré être légume tout au long de cette semaine de la nativité. Un légume qui, à la même période chaque année, s'édifie, zapette à la main, en faisant le tour de la planète télé.

Savais-tu par exemple que l'on perdait vingt et un grammes en mourant ? que les baguettes chinoises ont le bout carré tandis que les japonaises sont pointues ? qu'à Hébron des soldats israéliens se faisaient attaquer par des rats gros comme des chats ? que la Thaïlande souhaite échanger des crevettes contre des Airbus ? que Miss Monde 1991 s'est fait attaquer le 24 décembre par un hippopotame ? qu'à Zurich on euthanasie à forfait et, enfin, que Pharos, le corgi chéri de la reine d'Angleterre, s'était fait bouffer par Dottie, le bull terrier de sa fille, la veille de Noël ?

Quant à moi, je découvre que passé quarante ans, mes cils ont tendance à se clarifier, tandis qu'une moustache semble vouloir prendre le relais...

La bonne nouvelle : j'ai une pression de jeune poulette.

Hoy! (comme disent les Juifs quand ils sont contents. Ça aussi je l'ai appris à la télé.)

J'espère que tu vas bien et tiens à te remercier de m'avoir soufflé à l'oreille que depuis mon séjour chez les morts vivants, ma confiance en la vie « autruchienne », entre autres alimentée de petits bonheurs tout simples, en a pris pour son rhume.

Tiens, je vais aller prendre un bain aux chandelles.

Bonne nuit !

Comtesse Télé

28 décembre

Bon après-midi, toi aussi, chère Jo Porto,

Je t'ai écoutée et j'ai beaucoup marché depuis trois jours. Surtout hier soir. La ville est belle la nuit sous la neige. C'est vrai que ça fait un bien fou ! Les mauvaises énergies s'en vont dans les égouts.

Suivant le rythme vivre et laisser vivre actuel, c'est-à-dire à regarder mes chiens jouer, et à lire – petit plaisir du quotidien si longtemps oublié –, je me suis offert une bouteille de vin blanc de plus de dix dollars, possédant un vrai bouchon.

J'ai également profité du calme des fêtes pour louer plein de films, dont *Catch Me If You Can*, qui m'a littéralement enchantée. J'adore les rebelles lorsqu'ils sont intelligents. Je ne sais pas si tu as vu ce film, tiré d'un fait vécu, et qui raconte l'histoire d'un adolescent ayant réussi à se faire passer pour un pilote de ligne, un médecin, un prof, tout en ayant développé un système béton lui permettant d'utiliser de faux chèques. Aujourd'hui, il travaille comme consultant pour le FBI à la section des fraudes. Dans le film, le père lui raconte une petite histoire pleine de leçons. Deux souris tombent dans un pot de crème. La première s'y noie et la deuxième se démène tellement pour en sortir que la crème se transforme en beurre, lui permettant de se sortir du pot.

J'ai souvent l'impression d'être une souris.

Comtesse Vivre et Laisser Vivre

P.-S. : Quand est-ce qu'on fait la fameuse dinde ?

1er janvier

Chère Immense Amie,

Je te souhaite de continuer à être aussi folle et surtout de carburer encore et encore avec ton énergie de jouvencelle. Tu sais quoi ? Je constate avec bonheur que tu n'as pas changé d'essence depuis quinze ans qu'on se connaît. Et ça, c'est rare. Tu as évolué mais sans changer ton âme. Je suis privilégiée d'avoir une amie de ton gabarit. Vraiment.

Iléana

4 janvier

Chère Jo,

Sans vouloir faire de projection, l'année 2004 débute en lion pour Comtesse qui a gagné dix dollars au 6/49. Très prometteur, surtout qu'à la télévision depuis le premier janvier, nous sommes inondés de commerciaux vantant les mérites des meilleurs conseillers en faillite.

De plus, après un avertissement léger (sans légume messager) aux Chippendales, faisant référence au calendrier dont les dates ne concordent pas avec celles de la proprio, j'ai reçu le loyer le 2!

Quel modèle de Porsche est-ce que je pourrais bien acheter?

En cette veille de retour à la vie normale, après avoir autant mangé, donné, reçu, pas assez dormi et cuvé pendant près de dix jours, c'est remarquable de voir à quel point notre prochain, si généreux pendant la période de la nativité, s'est transformé en pit-bull. Une bourgeoise en BMW 4 x 4 m'a traitée de tous les noms (en anglais) parce que j'avais eu le malheur de voir une place de stationnement libre avant elle.

Retour à la normale. J'ai l'impression de vivre une fin de psychanalyse, car je suis encore un peu bousculée par tout ce que j'ai découvert en écrivant sur les méandres de mon âme d'Autruche Génétiquement Modifiée. Pour la première fois depuis qu'on s'écrit, j'ai l'estomac noué, réalisant que bientôt ces pages n'appartiendront plus à notre seule amitié. Et en même temps, toutes les fois où je t'écrivais, je savais que cette fois-ci, d'autres personnes liraient également ces lignes.

Recevoir des lettres adorables de gens que je ne connaissais pas, mêlées aux factures, c'était nouveau. Un jour, j'ai reçu par la poste un billet de vingt dollars en provenance de Québec. La lettre était adressée à Madame la Comtesse. À l'intérieur, une feuille blanche repliée sur le billet de banque. Pas un mot, pas une signature. Pourquoi un billet de vingt dollars? J'ai pensé que l'expéditeur faisait peut-être référence à un paragraphe de *L'Autruche Céleste* dans lequel j'écrivais avoir prêté (et jamais revu) vingt dollars (en petite monnaie) à une jeune voisine paumée afin qu'elle puisse payer son taxi à trois heures du matin. Quelques semaines plus tard, je recevais par la poste, de la même provenance, la photo d'un bouquet de lys, accompagnée d'un charmant petit mot:

> «Permettez-moi de vous offrir ces quelques fleurs en reconnaissance du plaisir que j'ai eu à parcourir votre livre. P.-S.: le vingt dollars n'est pas celui auquel vous pensez! Mais devrait compenser pour cette 'ex-perte' attendrissante.
>
> Signé: H.»

«Le vingt dollars n'est pas celui auquel vous pensez»... Cou'donc, est-ce que j'ai prêté des sous à tant de monde que ça?

Des rencontres fortuites, surréalistes, touchantes par leur sincérité avec des lecteurs inconnus, heureux d'avoir des nouvelles fraîches de Miss Vinaigre, des infiltrations d'eau ou de la dernière lubie de Kadhafi-e.

Cinq ans plus tard, où en sont le «zoo à deux et quatre pattes» ainsi que la maman qui affirmait être dorénavant «affranchie de toutes peurs»?

...

Comme tu me l'as si justement recommandé, j'ai relu la «tranche de vie 1995-1999» de l'Autruche & Cie., histoire de comparer états d'âme et emmerdements karmiques avec cinq ans de plus dans le corps. Il s'est tellement produit d'événements chaotiques... et en même temps, au quotidien la vie demeure la même. Peut-être cependant un peu moins facile au-delà de quarante-cinq ans, dans un univers professionnel où le culte de la jeunesse prime sur tout (compétences incluses).

J'ai également constaté, après ce temps d'arrêt auto-imposé, que j'aime encore mon boulot lorsque ma maudite autonomie est respectée.

J'ai jamais eu le goût d'être un boss, mon ambition se limitant, après vingt ans de télévision, à travailler pour le patron le moins chiant possible. Parlant boulot, je recommence le 12 janvier et figure-toi que j'ai hâte.

Excuse-moi, ça sonne à l'entrée.

...

C'était Miss Vinaigre, en furie que la porte soit verrouillée. Poussine renouait avec la dynamique bruyante de son adolescence.

De la revoir donner libre cours à SA colère pour une raison aussi futile m'a émue et surtout mis la puce à l'oreille. Poussine avait besoin de moi. Ici. Maintenant. Besoin de déverser le trop-plein de frustrations, alors j'ai eu droit à une crise de magnitude : « J'ai quatorze ans, tous mes amis ont le droit de rentrer à minuit, sauf moi. Si ma vie et gâchée, ce sera de ta faute ! Tout est de ta faute. Tu es la pire des mères ! »

Ça m'a fait chaud au cœur.

Elle vient de partir. Nous avons beaucoup parlé et surtout beaucoup ri pendant une heure. Je constate qu'elle a également développé un sens de l'autodérision lui permettant d'aplanir les différents irritants qui semblent l'affectionner.

Poussine en a beaucoup sur ses miniépaules, étant devenue, à l'âge de dix-neuf ans – du jour au lendemain (deux semaines par mois) –, maman substitut (ou plutôt, grande-sœur) d'une petite fille d'un an à la peau couleur de miel, dont le caractère, à l'époque, avait beaucoup plus en commun avec une Miss Vitriol qu'avec une Miss Miel.

À deux, elles ont beaucoup appris.

Voilà tout de même quatre ans qu'elle vit avec son homme. J'ignore si c'est par amour pour son beau Philippin, mais ses yeux commencent à brider.

Lorsque la Petite Fleur Des Îles est venue vivre avec son papa-étudiant à l'auberge, je venais de déménager dans la tour zen. Don Lait Au Chocolat, habitué à partager la maison avec les multiples pensionnaires qui s'y sont relayés, se retrouvait du coup à partager le quotidien avec un p'tit couple avec enfant. Il avait seize ans à l'époque. Sa première couche à changer, un soir où les «colocs» l'avaient mis de garde (en échange de je ne sais plus trop quoi), demeure un souvenir impérissable autant pour lui que pour Comtesse Mère...

J'étais en train de cuisiner, connectée à cent pour cent sur un gratin dauphinois, lorsqu'il était monté en courant, la petite tenue à bout de bras, m'implorant de l'aider à changer la couche qui, à vue de nez, était vraiment due. Devant son désarroi, j'ai eu un énorme fou rire. Plus il se promenait de long en large, le bébé hurlant toujours, tenu le plus loin de son nez, plus je riais. Visiblement sa mère ne serait d'aucune utilité. La crise s'est terminée dans le bain, Fils, une fois son aplomb retrouvé, ayant réglé le problème avec la douche téléphone, tandis que sa mère pleurait encore de rire dans la cuisine.

Donc, visite de Poussine qui m'a raconté ses différents irritants professionnels après une journée à servir des omelettes «pas de jaune» à une clientèle riche et *liftée*, fréquentant le restaurant où elle travaille. Peux-tu croire qu'un adulte lui a fait changer la couleur de sa tasse à café? Il en voulait une bleue au lieu d'une rouge, puis une dame âgée lui a demandé d'aller fouiller dans les bacs à vaisselle sale, afin de retrouver son dentier qu'elle avait enveloppé dans une serviette de papier.

C'est pas la fille à sa mère ça!

La façon dont elle a raconté sa mésaventure était digne d'un numéro de *stand up*. J'ignorais qu'elle puisse être aussi drôle et ça m'a beaucoup rassurée face à l'avenir. Poussine a découvert la puissance salvatrice de l'autodérision.

Lorsqu'elle est repartie, c'était comme si la maison était grouillante de petites bulles d'énergie positive.

Je me trouve tellement privilégiée d'être aussi proche de mes enfants maintenant adultes, et surtout d'être témoin du lien très fort unissant le frère et la sœur. J'aime ce que je vois en eux, d'autant plus que, côté famille, chez Comtesse, c'était pas vraiment tricoté serré.

Ma famille, depuis toujours, c'est Petite Claire et Frérot, Sœur Aînée vivant à l'extérieur du pays depuis vingt-cinq ans. Si tu savais comme je trouve triste que notre père n'ait pu connaître ses petits-enfants. Qu'il n'ait jamais pu lire sur leur visage ce qui venait de lui. Il le voulait sans doute, mais l'intransigeance de son sens de l'honneur maladif l'a privé de bien des bonheurs, dont le plus grand à mon sens, celui de voir pousser sa descendance.

En fait, ce que je crois aujourd'hui, c'est que notre père n'aurait pas dû en être un. Il n'aimait pas ce rôle, du moins pas plus de trente minutes par jour.

Cet homme qui me hante, et que j'apprends à connaître malgré moi en écrivant ces pages, ne savait pas être heureux. On ne le lui avait peut-être pas appris? C'était plus fort que lui, il fallait absolument qu'il sabote les petits moments de bonheur. Comme si ces derniers étaient indécents de par l'absence de souffrance. Selon lui, pour gagner son Ciel, il fallait passer plus de temps à souffrir qu'à être heureux.

Peut être que pour lui le bonheur coûtait trop cher le cent grammes ?

De toute façon, jamais je n'aurai la réponse.

Je suis frappée par l'impact (récalcitrant)qu'a eu cet homme sur sa fille Autruche. Et le mot impact, en ce qui le concerne, n'est pas forcément à consonance positive. Et, ô surprise, à mon grand étonnement, je te dirais qu'il est « purifiant ». Purifiant dans le sens qu'à l'exemple d'un pontage, les bibites ne sont plus bloquées dans le mauvais cholestérol. Ça y est, je repars dans les métaphores !

Cher *Tata*.

Ben oui, papa en roumain ça se dit *« Tata »*, et c'est le seul mot que nous connaissions. Il était d'ailleurs interdit d'utiliser une autre appellation lorsque nous nous adressions à lui. J'aurais aimé, au moins une fois, l'appeler papa.

Eh bien, *Tata*, outre une propension génétique au drame, a également légué à sa fille une dose d'inconscience et de fantaisie nécessaire pour s'en évader. Il avait également le don de faire confiance à n'importe qui, se dévoilant parfois trop vite (tiens, tiens...) et, ce faisant, s'exposant facilement aux déceptions. De plus, comme il n'était pas du tout snob, sa *dasha* des Laurentides a vu passer pas mal d'énergumènes. Son côté pas jugeant me plaisait. Un jour il a engagé, de Dieu sait où, deux ex-détenus frais sortis de prison pour effectuer quelques travaux de rénovation. C'était l'été et je devais avoir quatorze ans. Les deux hommes étaient logés dans l'une de ses maisons (il en possédait trois) le temps des travaux. Yvon et Marcel y sont restés quelques semaines. Petite Claire, Frérot, Sœur Aînée et moi y passions l'été au complet. Le paternel venait la fin de semaine rejoindre la *familia*.

Yvon était aussi blond que Marcel était noiraud et ressemblait plus à un curé défroqué qu'à un bandit. Marcel, lui, avait un œil qui louchait, une balafre et une vieille Pontiac décapotable dont la fonction «marche arrière» n'existait plus. Ils devaient avoir une quarantaine d'années. C'étaient des travailleurs zélés, irréprochables. Après le boulot, ils partaient en char-qui-ne-recule-pas (ce qui demandait une certaine réflexion au chauffeur au moment de stationner...) acheter leur caisse de 24, puis se faisaient des feux de camp et, une fois saouls, s'endormaient sur leurs chaises. Un soir où ils étaient particulièrement ronds, les gars avaient décidé de parier, à savoir lequel d'entre eux réussirait à couper un arbre avec la scie à chaîne en le faisant tomber le plus près possible des fils de téléphone sans, bien entendu, y toucher. Évidemment, le paternel ne l'a jamais su.

Nous nous étions attachés à eux. Lorsqu'ils sont partis, il y a eu un gros vide en plus des arbres en moins.

Le lendemain, à l'extérieur, une surprise nous attendait. Yvon avait peint en blanc toutes les grosses roches qui séparaient la maison de la rivière, et Marcel avait laissé une énorme cage dans laquelle se trouvaient un coq nain et une poule obèse. Les roches, c'était une surprise pour que l'on pense à eux et les deux volailles, c'était pour moi, ayant mentionné à Marcel, quelque part au cours de son séjour, souhaiter avoir des poules pour connaître le plaisir d'aller chercher des œufs frais tous les matins. Il s'en était souvenu.

La poule n'a jamais pondu un seul œuf, apparemment trop sollicitée par les ardeurs du minicoq et, à la fin de l'été, les tourtereaux sont partis vivre à la Butte à Mathieu.

Tu vois, si notre père avait été plus étroit d'esprit, jamais nous n'aurions connu ces deux hommes tellement différents et si attachants.

Pour ça, je l'en remercie.

Youpi ! Ces pages auront servi à régler un dossier qui traînait depuis quatre décennies : faire un semblant de paix avec mon père.

Noroch Tata !

...

En fait, rien n'a jamais été banal dans notre famille. Il doit y avoir des karma familiaux, du « trois générations pour le prix d'une », et chez nous, c'est un karma fantaisiste qui a été attribué. J'ai hâte de voir les couleurs de la prochaine génération d'Oisillons.

Il y a cinq ans, prenait fin l'écriture de *L'Autruche Céleste* et ce, en des mots fort sereins. Un peu trop d'ailleurs au goût de mon karma, qui s'est chargé de me ramener à l'ordre assez autoritairement. Tu sais à quel point j'ai de la difficulté avec l'autorité.

J'ai appris – et ne t'étouffe pas en riant –, depuis mon séjour au club des zombies, à mettre de l'eau dans mon vin. Oui, oui. Par exemple, après avoir quitté à maintes reprises – sur-le-champ – des endroits où il était interdit de fumer, il m'est arrivé à deux reprises d'être agréable, souriante et non fumeuse pour plaire à mes hôtes. Je crois que mon fond ado attardé a fondu.

«Demeurer spectatrice», c'est toi qui m'as refilé ce conseil. Se distancer le plus possible en cas de situation déplaisante.

Merci, Jo, c'est une phrase à laquelle je me réfère souvent.

«Se distancer», c'est beaucoup plus réaliste qu'être convaincue d'être affranchie de tout, c'est-à-dire n'être pas mieux que morte. Alors maintenant, au lieu de m'insurger dans le vide, j'apprends à développer, si nécessaire, un petit côté courtisane. Toujours charmante parce que détachée. L'exemple récent le plus concret? Au lieu d'être irrévérencieuse envers une agente du ministère du Revenu, j'ai été toute douce, allant jusqu'à la féliciter pour sa «belle sensibilité face à un travail pas toujours valorisant». Et comme dorénavant tout est enregistré, j'imagine que c'est un bon point dans la banque de données «orwellienne» du gouvernement.

Terminer ces pages sans parler des dindes canines, c'est tout simplement impossible. Tant de changements au cours des derniers mois. Je te dirais que la moins heureuse ces jours-ci, c'est la Mortadelle Résiliente. Cette adaptation forcée est en train de lui saper le moral. Depuis la mort de Clara, le départ de Poussine et Cie, l'arrivée des Chippendales et celle de Karma, la pauvre est littéralement en train de se désincarner. Elle a pris deux kilos (si on fait un rapport schnauzer/humain, c'est comme si j'en avais pris vingt).

Le résilience ne vient pas forcément du cœur...

Pauvre Kadhafi-e, ignorant depuis dix ans être un chien, obligée de vivre dorénavant avec une mini Karma plutôt au courant, elle, de sa condition canine. Cette petite elfe toute blanche si joyeuse et indépendante a résisté à toutes les névroses après avoir eu 100 % Débile comme mentor.

Ça aussi c'est nouveau dans la vie de Comtesse : un chien qui sait qu'il est un chien et qui ne couche pas dans son lit. Ne reste que Kadafi-e qui a conservé le privilège de dormir avec maîtresse, et comme elle a dix ans, la perspective de récupérer complètement mon plumard est d'ordre quinquennal.

Dossier Chippendales, je suis toujours aussi ravie de la cohabitation. Mon instinct a été juste. Depuis sept mois que nous partageons les mêmes briques, jamais je n'ai entendu un seul haussement de voix ou un claquement de porte. Que du calme, un « doux vivre et laisser vivre » ponctué de silences et de soirées guitares. Le bonheur quoi.

Les Chippendales aussi apprécient Comtesse, le lui ayant fait savoir sur une simple feuille lignée au Nouvel An. Pas de chichi : on est bien, on veut habiter longtemps ici. Je ne pouvais pas mieux tomber. La simplicité et le respect de nos territoires.

Finalement, tout va plutôt bien.

Ces lignes, une fois imprimées, vont amorcer leur passage dans quelques vies... Cet «attachement épistolaire» permet d'éclipser les aspects moins agréables qui font aussi partie des règles du jeu. Ces pages, il faut donc que je les assume... Et je les assume à cent pour cent. Elles sont le diplôme certifiant mon statut d'ex-zombie.

Youpi!

Tu vois, j'ai été en mesure de «remettre ça», avec en prime une visite – de plein gré – dans des lieux terrorisants. Entre autres, la rencontre face à face avec une affliction génétique faite de larmes, d'alcool de prune et de sens de la fête.

Cette affliction s'appelle également «le mal de vivre». Elle est typiquement transylvanienne. Il faut apprendre à vivre avec.

La purge est terminée. Merci bonsoir.

Encore une fois, c'est en dilettante et surtout sans prétention que j'ai porté ma casquette de miniauteur, et ce, avec le même plaisir que la première fois. Depuis que j'ai retrouvé la faculté de me laisser enchanter par un pipi de chien en forme de cœur sur le tapis, à court terme le vent s'annonce bon. Dorénavant consciente qu'il peut être fort changeant, cette fois, c'est avec un minimum de réalisme que je mets fin à ces pages.

Tu vois, Jo, avec ce deuxième livre, les rôles ont été inversés. Tu auras été la «soignante» de l'Autruche, l'aidant avec humour et lucidité à retrouver le chemin de sa maison et celui de sa «raison».

Merci d'avoir été si présente malgré une vie déjà fort remplie entre ton homme, tes fils, tes trois chats, ton chien, le lézard, les grillons, le boulot, la vie, alouette !

Hoy !

Ton Amie L'Autruche Rescapée

P.-S. : Les Chippendales sont en train de bûcher la glace sur la terrasse. J'ai rien demandé. Je suis touchée.

Et l'avenir...

Ce que nous aimons dans nos amis,
c'est le cas qu'ils font de nous.

Paul Bernard, dit Tristan

5 janvier

Chère Iléana,

« Que te souhaiter pour 2004. Avant tout du concret : un contrat intéressant avec de vrais avantages et, côté abstrait, de retrouver ta rassurante naïveté face à la vie, naïveté dernièrement ébranlée par quelques fonctionnaires qui ont la date de leur retraite collée sur le frigo. Chaque fois que tu as cru que tout s'écroulerait, rien ne s'est jamais écroulé ; au contraire, un nouvel événement t'a fait poursuivre ta vie comme tu l'entends. Je crois que tu as un ange gardien qui veille très fort sur toi et il ne doit pas chômer. »

Jo

Des commentaires chaleureux sur *L'Autruche Céleste*

« Un livre formidablement drôle et triste, touchant et tonique, aérien et libérateur [...] À lire impérativement. Bien-être garanti. »
Monique Roy, *Châtelaine*

« Du punch, de l'humour, de la générosité ; attachez vos ceintures, ça va brasser ! » **Pierre Nadeau**

« À la fois tonique et tragique, le parcours drôlement émouvant d'une fille pas banale. » **Geneviève St-Germain**

« Charmant, vivifiant, follement drôle et original, *L'Autruche Céleste* brasse beaucoup de choses sur son passage mais nous laisse conquis et complètement ravis ! » **Pierrette Roy, *La Tribune***

« Cette chronique de la vie quotidienne possède tous les ingrédients pour intéresser un large public. [...] C'est un beau message d'espoir pour ceux et celles dont le bateau est toujours amarré et craint le large. » **Lise Lachance, *Le Soleil***

« Une plume irrésistible, agile, légère, inventive, drôle, multipliant les sobriquets amusants, en forme de périphrases descriptives. Son sens aigu de la formule, son œil vif transcendent la banalité ou la lourdeur du quotidien, dont elle sait extraire l'aspect burlesque. [...] la narration au jour le jour, elle, distille une bonne humeur contagieuse, découvrant une femme qu'il doit faire bon connaître. On devrait toutes avoir une copine comme ça. Ça fait du bien à l'âme, qu'elle soit slave ou banalement québécoise. »
Marie Labrecque, *Voir*

« On ne peut s'empêcher de trouver cette autruche sympathique, de compatir à ses malheurs, de louer son courage et de rire non pas à ses dépens, mais avec elle. » **Chantal Guy, *La Presse***

« Tout ça avec une réjouissante autodérision, un sens du cocasse et une nouvelle attitude du genre je-prends-la-vie-du-bon-côté. Drôlement humain. » ***Coup de pouce***